FANTOMAX

Quand'anche camminassi nella valle dell'ombra della morte, io non temerei alcun male, perché tu sei con me; il tuo bastone (e) la tua verga mi danno sicurezza.

Salmo 23:4

HABEMUS
FAN
TO
MAX

10

1 SETTEMBRE 2011.

DI SOTTO.

BENVENUTI. ORA SEGUITEMI...

ANDIAMO ALL'ASCENSORE.

NESSUNO CI DISTURBERÀ DURANTE LA DISCESA.

IL COMANDO È IMPOSTATO SULLE MIE IMPRONTE DIGITALI.

ABITUATEVI ALLE MERAVIGLIE...

14

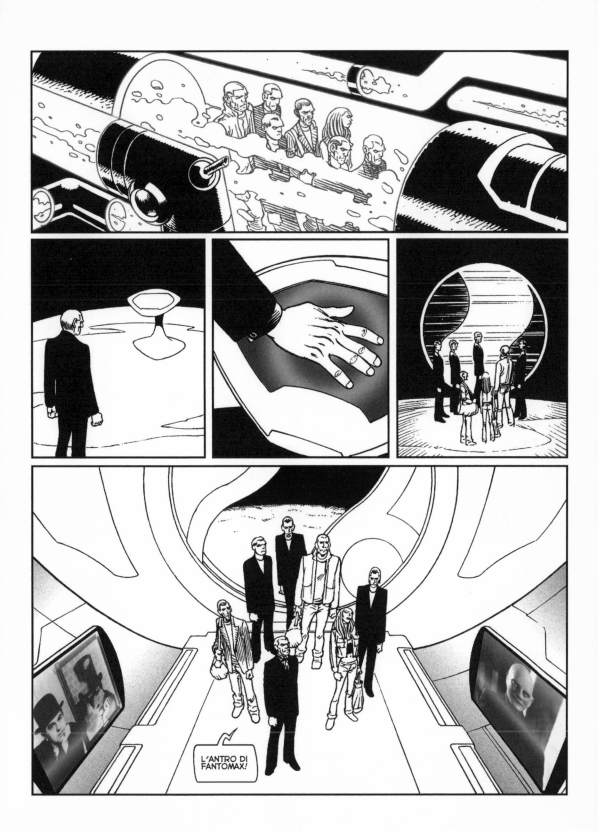

16

"LA SEZIONE DEGLI INGEGNERI. QUI STUDIAMO COME SOTTOMETTERE OGNI ANGOLO DEL MONDO AL NOSTRO POTERE."

IL NUCLEO OPERATIVO. IN QUESTO, E NEGLI ALTRI ANTRI SPARSI SUL PIANETA, I NOSTRI ADEPTI LAVORANO ALLA REALIZZAZIONE DEI PIANI DI FANTOMAX.

"QUESTI SONO ANALISTI FINANZIARI: LA NOSTRA RICCHEZZA CRESCE DI GIORNO IN GIORNO."

"IL LABORATORIO CHIMICO: SIAMO ORMAI IN GRADO DI TRASFORMARE QUALSIASI COSA IN SOSTANZA LETALE."

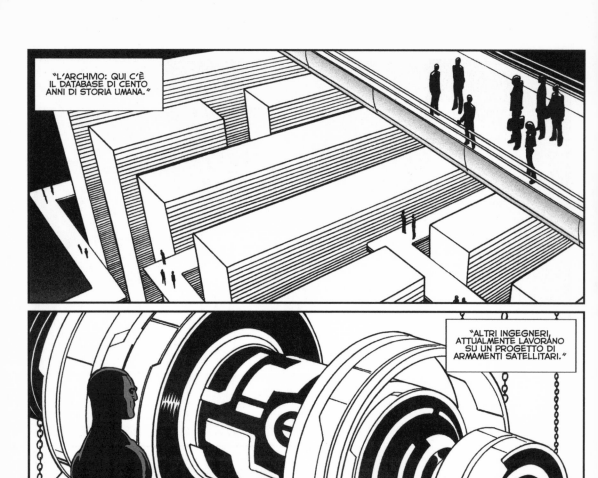

"L'ARCHIVIO: QUI C'È IL DATABASE DI CENTO ANNI DI STORIA UMANA."

"ALTRI INGEGNERI, ATTUALMENTE LAVORANO SU UN PROGETTO DI ARMAMENTI SATELLITARI."

"QUESTE SONO LE IMMAGINI DELLA TERRA RIPRESE DAI DUE SATELLITI CHE ABBIAMO MANDATO IN ORBITA DALLA NOSTRA BASE SOTTOMARINA AL LARGO DI LANZAROTE, INVISIBILE A CHIUNQUE."

I NOSTRI SCIENZIATI STUDIANO E SANNO ORMAI REPLICARE TERREMOTI E MAREMOTI DI INTENSITÀ PROGRAMMATA.

LA SALA DELLA CERIMONIA: TUTTO HA SEMPRE AVUTO INIZIO QUI.

"GLI SCRANNI SONO PER VOI. MA PRIMA ANDATE A CAMBIARVI..."

TI STA PERFETTAMENTE. DEL RESTO, ABBIAMO ANCHE OTTIMI SARTI.

IL CAPPUCCIO PERÒ LO POTRAI ABBASSARE SOLO SE SARAI ELETTA FANTOMAX.

21

UN'ORA DOPO.

IL RISULTATO DELLA ELEZIONE È CERTO.

"SIA IMPERITURA LA GLORIA DEL MALE CHE SPARGIAMO."

"SONETTE BOSMAN: SEI IL *NUOVO FANTOMAX!*"

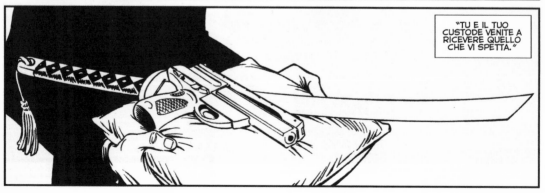

"TU E IL TUO CUSTODE VENITE A RICEVERE QUELLO CHE VI SPETTA."

PARIGI,
2 SETTEMBRE 2011.

IL TUO DESIDERIO MI HA SORPRESO. DI SOLITO CHI VIENE NOMINATO FANTOMAX SCEGLIE DI TORNARE A CASA, PER IMPARTIRE DISPOSIZIONI AI SUOI UOMINI.

CI VENIVA HEMINGWAY, QUI. E TANTI ALTRI INTELLETTUALI. DESIDERAVO CONOSCERE QUESTO POSTO.

E POI NON HO ORDINI DA DARE, LA MIA ORGANIZZAZIONE FUNZIONA BENISSIMO ANCHE SENZA DI ME.

"MEGLIO COSÌ. QUELLI DELLA SICUREZZA ERANO SOLLEVATI, UNA COSA È SORVEGLIARE UNA CENA A PARIGI, UN' ALTRA UN VIAGGIO IN SUDAFRICA."

HO FATTO FATICA A SCEGLIERE I CANDIDATI ALLA MIA SUCCESSIONE. MI SEMBRAVANO TUTTE PERSONE IN GAMBA.

LO SONO.

ADESSO CHE SUCCEDE?

QUELLO CHE È SUCCESSO A TE. NOMINERÒ PER CIASCUNO UN CUSTODE, CHE PRENDERÀ CONTATTO CON IL SUO CANDIDATO.

COME SI
DIVENTA
CUSTODI?

NELLO STESSO
MODO IN CUI SI
DIVENTA CANDIDATI.
SOLO CHE NOI SIAMO
GREGARI, NON
COMANDANTI.

ME LA RACCONTI
LA TUA STORIA?

NON POSSO.
NESSUN FANTOMAX
PUÒ CONOSCERE LA STORIA
DEL SUO CUSTODE.
È UNO DEI POCHI LIMITI
DEL SUO POTERE.

PIUTTOSTO, HAI
LETTO LE GESTA DEI
TUOI DUE RIVALI?

NON HO AVUTO
TEMPO, HO CAPITO
CHE ESSERE
FANTOMAX È UN
LAVORO MOLTO
IMPEGNATIVO.
RACCONTAMI TU
QUALCOSA DI LORO.

GENTE TERRIBILE, MOLTO IN GAMBA, MA
NON COME TE, LA TUA VITTORIA ERA
SCONTATA. L'HO CAPITO DAL MOMENTO
IN CUI HO INIZIATO A CONOSCERTI.
MUZZAFAR PER ESEMPIO...

LE DONNE ERANO VEDOVE DI COMBATTENTI CADUTI, VEDOVE O FIGLIE, O ANCHE SORELLE. L'INDOTTRINAMENTO SI INNESTAVA QUASI SEMPRE SUL DESIDERIO DI VENDETTA. AL RESTO PENSAVANO LE DROGHE.

IL DETONATORE.

ADESSO IL TOCCO DA MAESTRO...

SEI BELLISSIMA. SEMBRI PROPRIO LA MADRE DEI FIGLI CHE MARUF NON HA FATTO IN TEMPO A DARTI. TE LO RICORDI MARUF, VERO?

MEGLIO SE TI INIETTO UN'ALTRA DOSE.

ADESSO SEI PRONTA. ANDIAMO. DOBBIAMO CAMMINARE ADAGIO. È VICINO...TU, SHARIF, SAI GIÀ COSA FARE.

ECCO,
QUI VA
BENE.

MIA MOGLIE È MOLTO
STANCA. PUOI FARLA
SEDERE UN ATTIMO,
IL TEMPO DI ANDARE
A PRENDERE
IL MONTONE?

ASPETTAMI
QUI, AMORE.
TORNO SUBITO.

MONTA,
SVELTO.

RICORDA TUTTO
CIÒ CHE HAI IMPARATO
OGGI SHARIF...

NON BIASIMO CHI USA IL MALE. IL MALE SCIOGLIE L'INNOCENZA, L'ANNULLA. E L'INNOCENZA È IL NOSTRO PEGGIOR NEMICO.

MUZZAFAR SAREBBE STATO UN GRANDE FANTOMAX. UN FANTOMAX SBAGLIATO, PERÒ. AVREBBE CREATO SPACCATURE, FORSE DIVISIONI IRREPARABILI.

SONO STANCA DI QUESTI FONDAMENTALISMI. IL VERO MALE È ALTRO. IL VERO MALE NON HA NIENTE A CHE FARE CON DIO. IL VERO MALE È QUI, SIAMO NOI.

IL FANTOMAX CHE TI HA PRECEDUTO, L'ITALIANO, AVEVA UN'IDEA, A PROPOSITO DI QUESTO.

IL MALE HA LA SUA VOCE, QUANDO PARLA NOI LO SENTIAMO. E IL NEOZELANDESE?

TI RACCONTERÒ LA SUA STORIA STRADA FACENDO. POSSIAMO FARE DUE PASSI, SE VUOI. È UNA SERATA TRANQUILLA, QUELLI DELLA SORVEGLIANZA CI PERDONERANNO.

MI PIACE CAMMINARE. È STATA UNA BELLA CENA, HO ANCHE CHIUSO I MIEI CONTI CON HEMINGWAY. LE PASSIONI LETTERARIE CHE AVEVO DA RAGAZZA LE SENTO ORMAI LONTANE. PERÒ È UTILE AVERLE AVUTE.

CI SONO MODI DIVERSI PER RISPONDERE ALLA CHIAMATA DEL MALE. MAX GIFFEN AVEVA COMINCIATO PER PURO TORNACONTO PERSONALE.

ERA UN POLIZIOTTO. IL MIGLIOR SEGUGIO DI AUCKLAND...

AUCKLAND, MAGGIO 2004.

APRITE, LO SAPPIAMO CHE SIETE LÌ!

INUTILE, FACCIAMOGLI SENTIRE IL SAPORE DEL PIOMBO.

BLAM BLAM BLAM BLAM

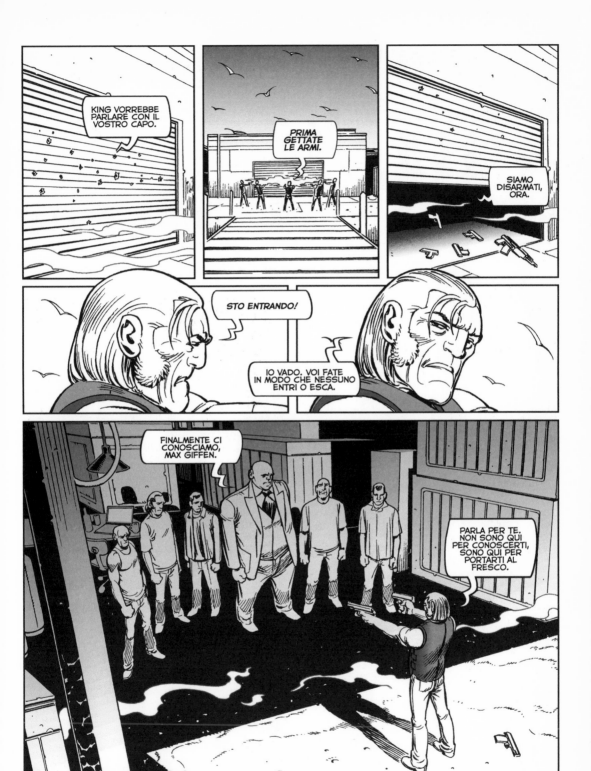

35

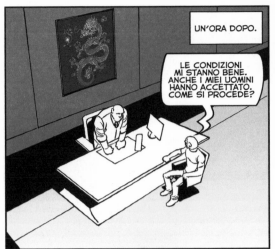

UN'ORA DOPO.

LE CONDIZIONI MI STANNO BENE. ANCHE I MIEI UOMINI HANNO ACCETTATO. COME SI PROCEDE?

ADESSO TI FACCIO VEDERE.

QUESTA NON SARESTI RIUSCITO AD APRIRLA.

QUI C'È TUTTO. È TUO ORMAI.

ANZI: NOSTRO. NON TE LO DIMENTICARE.

GIFFEN HA PRESO IL POSTO DI KING. CI HA SAPUTO FARE, HA MOLTIPLICATO I GUADAGNI. IL FATTO DI ESSERE ANCHE POLIZIOTTO GLI PERMETTEVA LIBERTÀ ASSOLUTA DI MOVIMENTO.

E KING?

GIFFEN LO HA UCCISO DUE ANNI DOPO, ASSIEME A MOLTI SUOI FEDELI. ADESSO CONTROLLA, O PER MEGLIO DIRE CONTROLLAVA, METÀ DELLA NUOVA ZELANDA, E SI STAVA ALLARGANDO ALL'AUSTRALIA.

IL MALE NON DEVE TRASFORMARSI IN UN GIOCO DI POTERE INDIVIDUALE. IL MALE È LA GRANDE FORZA PROPULSIVA CHE CI DEVE CONDURRE AL POTERE UNIVERSALE. SE NON SI CAPISCE QUESTO, NON SI ESCE DALLA LOGICA DEL SEMPLICE BANDITISMO.

INFATTI L'IMPERO DI GIFFEN SI STA SFALDANDO. CI SONO STATI DUECENTO OMICIDI LA NOTTE SCORSA, NON APPENA SI È DIFFUSA LA NOTIZIA DELLA SUA MORTE.

E NOI NON POSSIAMO FARE NIENTE?

PUOI MANDARE REPARTI DEL NOSTRO ESERCITO, SE VUOI. E ASSUMERE LA REGGENZA PRO-TEMPORE. SI USA IN QUESTI CASI.

D'ACCORDO. FRA DUE GIORNI VOGLIO CHE LA SITUAZIONE SIA NORMALIZZATA. ABBIAMO TANTO DA FARE. NON POSSIAMO DISPERDERCI IN LOTTE FRATRICIDE.

È SBAGLIATO QUESTO SISTEMA. BASTA CHE QUALCUNO TI TAGLI UN DITO PER ARRIVARE AL CUORE DI FANTOMAX...

ECCO UNA EVENTUALITÀ A CUI NESSUNO AVEVA PENSATO...

FALLO CAMBIARE. VOGLIO UNA TRIPLA LETTURA, IMPRONTA DIGITALE, IRIDE E VOCE.

SIA FATTA LA VOLONTÀ DI FANTOMAX, ADESSO PERÒ METTITI IL CAPPUCCIO.

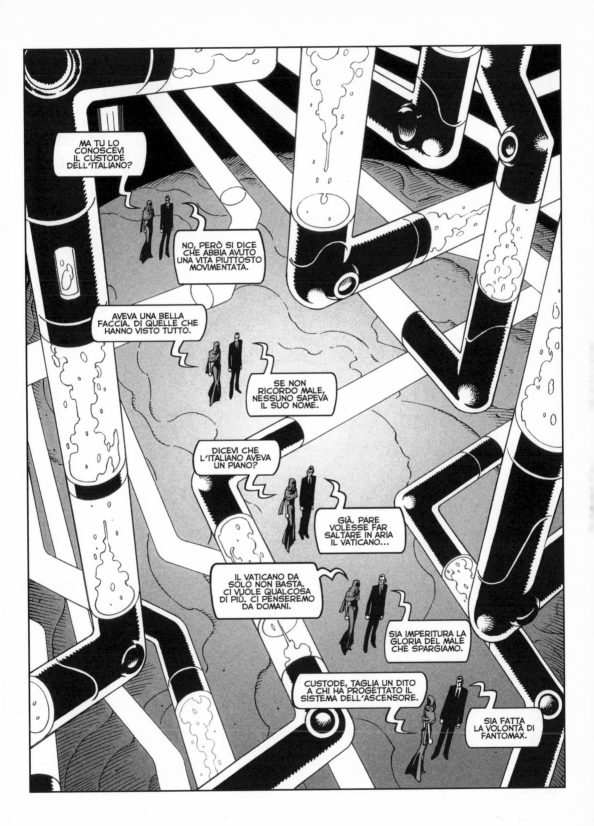

39

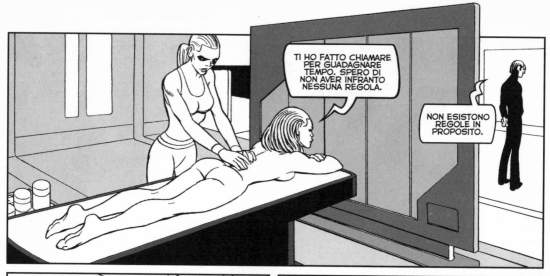

TI HO FATTO CHIAMARE PER GUADAGNARE TEMPO. SPERO DI NON AVER INFRANTO NESSUNA REGOLA.

NON ESISTONO REGOLE IN PROPOSITO.

OTTIMO. NOVITÀ?

DUE REPARTI DEL NOSTRO ESERCITO SONO IN VOLO: DESTINAZIONE NUOVA ZELANDA.

HAI FATTO L'ALTRA COSA CHE TI HO CHIESTO?

CERTO!

PERFETTO. UNA DOCCIA VELOCE E SONO DA TE. FACCIAMO COLAZIONE INSIEME.

C'È SERVITÙ IN ECCESSO, QUI.

È STATO L'ITALIANO A VOLERLO. ERA UN TIPO BIZZARRO, GLI PIACEVANO IL LUSSO E LE COMODITÀ. TU PUOI CAMBIARE QUELLO CHE NON TI PIACE.

DARÒ DISPOSIZIONI. DEVO ANCORA RIUSCIRE A VEDERE TUTTO IL MIO APPARTAMENTO.

HAI DORMITO BENE?

NON DORMO MAI BENE, IO. QUESTA NOTTE HO STUDIATO LA FILIERA DELL'ORGANIZZAZIONE. IMPONENTE.

DEVO RIVEDERE ALCUNI DETTAGLI E POI CONVOCHERÒ GLI STATI GENERALI. HO UN'IDEA

SIA FATTA LA VOLONTÀ DI FANTOMAX.

IERI MI HAI DETTO CHE LA MIA VITTORIA ERA SCONTATA. CHE L'HAI CAPITO DAL MOMENTO IN CUI AVEVI INIZIATO A CONOSCERMI. COSA SAI DELLA MIA STORIA?

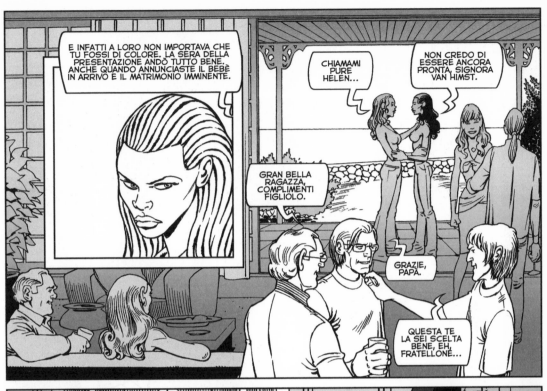

44

45

48

49

FRA DUE ORE DEV'ESSERE PRONTO IL NUOVO SISTEMA DI RICONOSCIMENTO. E SARÀ TARATO SU IRIDE, IMPRONTA DIGITALE E VOCALE. MIA E DEL CUSTODE.

SIA FATTA LA VOLONTA' DI FANTOMAX. DOVRÒ PRENDERE LE SUE IMPRONTE...

LO FARAI ALLA FINE DELLA RIUNIONE.

CHI DI VOI È L'ESPERTO DI ESPLOSIVI?

IO...

VOGLIO DISTRUGGERE UNA CITTÀ DAL BASSO. MI SERVONO ESPLOSIVI POTENTI, IN PANETTI DELLA DIMENSIONE DI UN PACCHETTO DI SIGARETTE, MA COLLEGATI A CATENA IN MODO CHE POSSANO ESPLODERE TUTTI QUANTI INSIEME E CON UN UNICO DETONATORE. È POSSIBILE?

CE LA POSSIAMO FARE. QUANTI NE SERVONO?

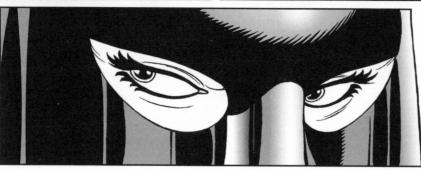

IL NECESSARIO PER RADERE AL SUOLO LA BASILICA DI SAN PIETRO E TUTTA LA CITTÀ DEL VATICANO.

AVREMMO FATTO MEGLIO A PRENDERE UNO DEI NOSTRI AEREI. I VOLI DI LINEA HANNO TEMPI LUNGHISSIMI.

DODICI ORE A MOSCA PER CAMBIARE AEREO E AEROPORTO. PERÒ ABBIAMO MANGIATO BENE, CI SIAMO RIPOSATI E ABBIAMO POTUTO FARE UNA BELLA DOCCIA.

IO PRENDO SPESSO QUESTI VOLI, ORMAI HO IMPARATO AD APPREZZARNE LE COMODITÀ.

SENZA CONTARE CHE I VIAGGI LUNGHI PERMETTONO DI PENSARE. FANTOMAX CONOSCE IL VALORE DEL PENSIERO COME GENERATORE DI AZIONE.

"SIA FATTA LA VOLONTÀ DI FANTOMAX."

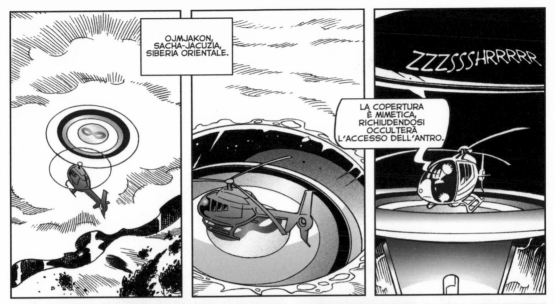

OJMJAKON, SACHA-JACUZIA, SIBERIA ORIENTALE.

ZZZSSSHRRRRR

LA COPERTURA È MIMETICA, RICHIUDENDOSI OCCULTERÀ L'ACCESSO DELL'ANTRO.

QUESTO È UNO DEI LUOGHI PIÙ FREDDI E INOSPITALI DEL PIANETA. SI DICE CHE UN'OTTANTINA DI ANNI FA SIA STATA REGISTRATA UNA TEMPERATURA DI 72 GRADI SOTTOZERO.

QUI DENTRO NON FA FREDDO PERÒ.

OJMJAKON SIGNIFICA "ACQUA NON CONGELATA" E IN EFFETTI QUI VICINO C'È UNA SORGENTE DI ACQUA CALDA. L'ABBIAMO DEVIATA E CI FORNISCE UN RISCALDAMENTO NATURALE.

IL MONDO È PIENO DI PRODIGI COME QUESTO, TUTTI FIRMATI FANTOMAX.

SIAMO IN TRE A CONOSCERE LA COMBINAZIONE. LA PORTA SI APRE SOLO DOPO LA VERIFICA DELL'IMPRONTA E DELL'IRIDE.

53

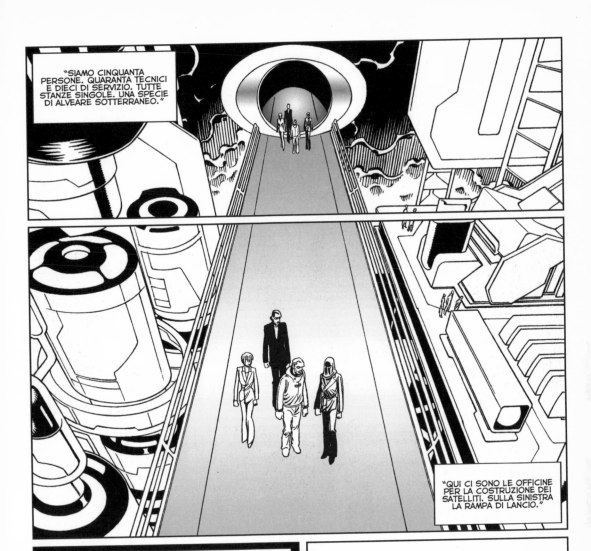

"SIAMO CINQUANTA PERSONE. QUARANTA TECNICI E DIECI DI SERVIZIO. TUTTE STANZE SINGOLE. UNA SPECIE DI ALVEARE SOTTERRANEO."

"QUI CI SONO LE OFFICINE PER LA COSTRUZIONE DEI SATELLITI. SULLA SINISTRA LA RAMPA DI LANCIO."

"OLTRE QUELLA PORTA C'È IL DEPOSITO DELL'ESPLOSIVO. CE N'È A SUFFICIENZA PER FAR SALTARE L'EX IMPERO SOVIETICO. VIENE CONSERVATO IN UNA SFERA RETTA DA UN SISTEMA PNEUMATICO. È COME SE GALLEGGIASSE NEL VUOTO. NEANCHE IL PEGGIORE DEI TERREMOTI LA SCALFIREBBE."

OTTIMO, PERÒ ABBIAMO FRETTA. IO E IL CUSTODE DOBBIAMO ANDARE A ROMA.

IO RIMANGO PER QUALCHE GIORNO, DEVO FARE LA VALUTAZIONE DEL PERSONALE.

ROMA,
11 SETTEMBRE 2011,
ORE 8:10.

AVESSI SAPUTO PRIMA CHE
L'ITALIANO AVEVA COMINCIATO
A SCAVARE UN TUNNEL...

È UN NOSTRO
DIFETTO: SPESSO
LE INFORMAZIONI
NON CIRCOLANO,
PRINCIPALMENTE
PER MOTIVI DI
SICUREZZA.

MEGLIO COSÌ, CI SIAMO
RISPARMIATI MOLTO LAVORO.
NON SAREBBE STATO FACILE
PORTARE DENTRO MIGLIAIA
DI PANETTI DEFLAGRANTI.

INVECE IL GROSSO
DELL'ESPLOSIVO È GIÀ TUTTO
SISTEMATO, NEI SOTTERRANEI,
GRAZIE AL VECCHIO TUNNEL E
ALLA NUOVA DIRAMAZIONE...

PER NIENTE
AL MONDO MI SAREI
PRIVATA DI QUESTA
SODDISFAZIONE.

AVEVI UNA FACCIA
NELLE FOTO DEL
MATRIMONIO, COME
SE NON GRADISSI
TROVARTI IN CHIESA.

ODIO LE
CHIESE.

56

LA MECCA,
11 SETTEMBRE 2011,
ORE 13:44:59
(GMT+3).

CITTA' DEL VATICANO,
11 SETTEMBRE 2011,
ORE 11:44:59
(GMT+1).

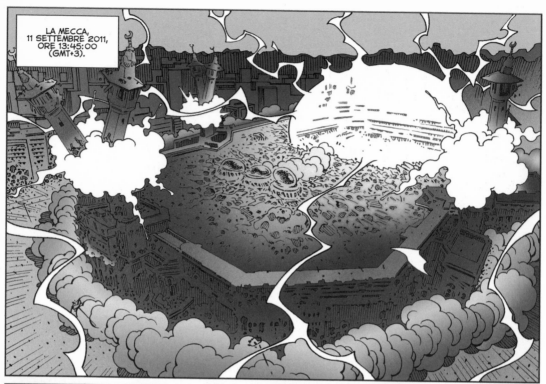

LA MECCA,
11 SETTEMBRE 2011,
ORE 13:45:00
(GMT+3).

CITTA' DEL VATICANO,
11 SETTEMBRE 2011,
ORE 11:45:00
(GMT+1).

60

GLI ARCHIVI SEGRETI DI
FANTOMAX

1

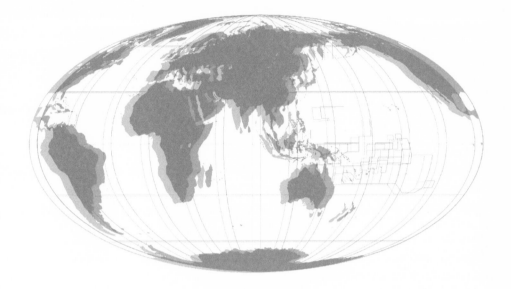

Presentiamo alcune schede sinottiche, custodite negli antri sparsi in tutto il mondo, che chiariscono il ruolo di Fantomax nella
storia planetaria del XX secolo.

La lettura di queste schede è consentita soltanto a Fantomax,
al suo Custode, ai tre candidati alla successione e ai rispettivi
custodi, nonché ai membri del Consiglio, che possono accedere
anche ai documenti correlati presenti sul server.

Le schede che presentiamo sono all'incirca un decimo di quelle
disponibili. La numerazione è arbitraria, in quanto non tiene conto delle schede omesse.

I. IL MALE ORGANIZZATO (1905)

Patrick Sermas, Léo Courteneuve e Raymond Houston hanno in comune una curiosità eccentrica e focosa che li spinge a muoversi prima degli altri.

Patrick Sermas è uno scienziato, Léo Courteneuve un finanziere. Raymond Houston un ricco possidente di impianti petroliferi. I primi due sono francesi, il terzo texano.

I tre si conoscono alla stazione di San Pietroburgo, alla partenza del viaggio inaugurale della ferrovia Transiberiana, di cui erano venuti a conoscenza durante l'Esposizione universale di Parigi, nel 1900.

Il tragitto è lungo, i compagni di viaggio noiosi, Patrick Sermas, Léo Courteneuve e Raymond Houston trascorrono gran parte del tempo insieme. Si godono i servizi sontuosi della prima classe e scoprono di avere attitudini in comune, a cominciare da una profonda ripugnanza per il sentimento della bontà.

Prima scherzando, man mano credendoci sempre di più, i tre decidono di fondare un'organizzazione criminale dedita alla valorizzazione del Male. Gli scopi finali dell'organizzazione sono la conquista del mondo e la sua rifondazione su basi completamente diverse.

Patrick Sermas, Léo Courteneuve e Raymond Houston sono persone di grande concretezza. Nel tempo di pochi giorni fissano la strategia dell'organizzazione, ne delineano la struttura e stabiliscono le fasi operative.

L'unico elemento sul quale i tre sono in disaccordo è il nome da dare all'organizzazione. Patrick Sermas vorrebbe chiamarla *Fantomaz*, Léo Courteneuve *Fantomas*, Raymond Houston *Fantomax*. Siccome Raymond Houston è il più anziano dei tre, nonché il più ricco, la scelta cade sul nome da lui proposto.

Fantomax farà tremare il mondo. La sua parola d'ordine è: *Sia imperitura la gloria del Male che spargiamo.*

Al ritorno dal viaggio, Léo Courteneuve e Raymond Houston iniziano il reclutamento e cominciano la costruzione degli antri di Parigi, Berlino e Trieste. Patrick Sermas rimane in Siberia, dove intende sperimentare un'arma capace di dare a Fantomax il potere immediato sul mondo.

CONNESSIONI

1. *Le biografie dettagliate di Patrick Sermas, Léo Courteneuve e Raymond Houston sono disponibili sul server.*

2. *Nell'antro di Chernobyl (Ucraina) sono allestite tre stanze museali che contengono cimeli appartenuti ai tre fondatori di Fantomax. L'ingresso è consentito esclusivamente a Fantomax e al suo Custode, che vi accedono insieme, con l'esclusione di qualsiasi accompagnatore.*

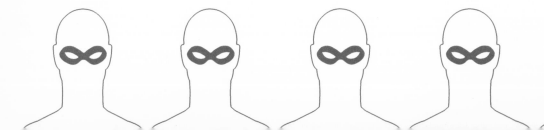

2. UNA POTENZA DEVASTANTE (1908)

Patrick Sermas lavora intensamente per tre anni. L'altopiano siberiano è il luogo ideale per il suo esperimento. Le catene montuose coperte da foreste di conifere secolari e le vallate che si succedono una dopo l'altra lo proteggono da occhi indiscreti.

Il laboratorio di Sermas è minimale. L'arma che intende sperimentare non ha bisogno di altro che essere liberata. L'unico cruccio che fa tentennare Sermas è come tenere sotto controllo una potenza così devastante.

Da Parigi, l'antro principale di Fantomax, arrivano incoraggiamenti sotto forma di viveri e materiali trasportati da una interminabile filiera di corrieri. Arrivano anche notizie: Fantomax cresce a un ritmo vorticoso, presto il mondo conoscerà il suo nome e comincerà a temerlo sopra ogni altra cosa.

Patrick Sermas costruisce una serie di protezioni concentriche: campi magnetici, barriere elettriche, poli gravitazionali, persino rudimentali trincee che riempie di carcasse di bestiame fatto affluire dalle province interne della Russia. Queste ultime sa in partenza che difficilmente serviranno a qualcosa, però gli restituiscono l'idea di una guerra che comincia a combattersi.

L'esperimento scatta il 30 giugno, alle 7,14 del mattino. Patrick Sermas, che si è portato a quella che ritiene una distanza di sicurezza, libera un nucleo di antimateria a nord del fiume Tunguska. Quello che accade potrebbe essere definito finimondo.

È come se una replica del sole si avvicinasse a velocità incalcolabile e si concentrasse nello spazio di cielo soprastante. La luce è insostenibile, l'impatto con il terreno roboante, la successiva potenza del fuoco agghiacciante: duemila chilometri quadrati di foresta carbonizzati all'istante.

Le barriere predisposte dallo scienziato in qualche modo funzionano. Patrick Sermas si rende però conto della difficoltà di utilizzare l'antimateria come arma, se non a impatto planetario. Prosegue per anni gli studi, fino a che opta per la più controllabile energia nucleare. Decenni dopo qualcuno calcolerà che la forza dell'esplosione di Tunguska è paragonabile a quella di mille bombe atomiche del tipo sganciato su Hiroshima.

CONNESSIONI

1. *Estratti digitalizzati del diario di Patrick Sermas sono disponibili sul server.*

2. *Il diario manoscritto che riporta integralmente le tappe dell'esperimento è conservato nella sala museale dell'antro di Ojmjakon (Sacha-Jacuzia, Siberia).*

3. IL MITO DI FANTOMAS (1911)

Con il ritorno a Parigi di Patrick Sermas, il trio si ricompone. Il nucleo centrale dell'antro di Parigi è pronto. I tre vi trascorrono gran parte del loro tempo, ognuno impegnato nei rispettivi campi di azione, tutti a far crescere giorno dopo giorno l'organizzazione, che conta già quasi un migliaio di adepti.

Léo Courteneuve compie ardite speculazioni finanziarie che non fanno altro che aumentare la ricchezza di Fantomax. Tutti gli utili sono investiti in attività criminali che a loro volta producono ulteriori guadagni, in una catena senza fine.

Courteneuve ha un'idea: Fantomax deve restare un'organizzazione segreta, ma allo stesso tempo il mondo è ora che cominci a vedere il Male come fenomeno intrigante, a poter scegliere di parteggiare per lui. Perché questo accada c'è bisogno di un simbolo, di un eroe negativo che incanali i sogni e la rabbia della popolazione.

Courteneuve parla con qualche amico scrittore. Marcel Allain e Pierre Souvestre aderiscono entusiasti al progetto, pur ignorandone allora e sempre le motivazioni.

Nasce Fantomas, un eroe imprendibile e imprevedibile, autentico genio del crimine che in breve si conquista il favore dei lettori, in Francia e in buona parte del continente europeo. Fantomas svela l'ipocrisia borghese e anche quello che si preannuncia come una sorta di compiacimento plebeo. Il mondo è male, per opporvisi è perfettamente trascurabile e stupido lamentarsi o porgere l'altra guancia: per opporsi al male del mondo occorre praticare un Male superiore, il Male assoluto.

Il successo di Fantomas è tale che nel tempo di pochi anni assume una valenza simbolica. I Surrealisti lo eleggono a loro eroe prediletto. Il cinema, l'arte e il linguaggio comune si impossessano delle sue trame e delle sue motivazioni: il mondo è pronto al Male.

Alla morte di Pierre Souvestre (1914), Patrick Sermas e Léo Courteneuve convocano Raymond Houston con l'idea di rendere un omaggio imperituro alla memoria dello scrittore scomparso. Solo la strenua opposizione del texano, che non ha mai amato la caricatura letteraria della loro grande impresa criminale, impedisce ai tre di ribattezzare l'organizzazione con il nome del personaggio letterario. Fantomas continuerà a spaventare i lettori in libreria, Fantomax terrorizzerà i cittadini del mondo.

CONNESSIONI

1. *Tutti i romanzi di Fantomas sono disponibili sul server in versione digitale.*

2. *La collezione completa delle prime edizioni dei romanzi di Fantomas è conservata in ognuno degli antri del pianeta.*

4. L'AFFONDAMENTO DEL TITANIC (1912)

Una notte, Patrick Sermas fa un sogno. Nel sogno cavalca un enorme iceberg bianco, lo doma come Raymond Houston ammansisce i suoi stalloni nel ranch texano. Il giorno dopo organizza la costruzione di un nuovo antro fra i ghiacci perenni del mare Glaciale Artico. Subito comincia gli esperimenti.

Siamo ai tempi della gioia di vivere. Il mondo sembra preso dalla frenesia di mostrarsi, di divertirsi, di impegnarsi nelle attività più futili. Fantomax sa che è una moda passeggera, che le nubi all'orizzonte sono fosche, che lui stesso sta manovrando perché diventino sempre più cupe, nere come la pece. Nondimeno Fantomax vuole rendere la vita difficile a questi nuovi borghesi dall'espressione sempre giuliva, li vuole colpire quando meno se lo aspettano, intende diventare il loro incubo.

Una delle mode del tempo sono i viaggi transatlantici. Si costruiscono navi sempre più possenti, veloci e ardite. A bordo, orchestre, balli e cene luculliane rendono il viaggio un'esperienza indimenticabile. Affondare una di quelle navi sarebbe uno schiaffo che intontirebbe l'intera umanità.

Patrick Sermas ha studiato e sperimentato un raggio in grado di tagliare il ghiaccio. La prima parte del piano è operativa. La seconda consiste nella realizzazione di un propulsore capace di spingere verso un obiettivo prestabilito un'enorme massa di ghiaccio.

Sermas scarta uno dopo l'altro tutti i propulsori conosciuti, lascerebbero tracce e lui non vuole che qualcuno le scopra. Fantomax non è ancora pronto per manifestarsi al mondo come nemico, Fantomax deve ogni volta travestirsi da destino, l'avversario più subdolo e malefico con il quale un essere umano possa essere costretto a fare i conti. A volte le soluzioni sono più semplici di quanto ci si immagini. Il raggio che taglia il ghiaccio nulla può contro l'acciaio, in particolare contro una lega di acciaio, tungsteno e vanadio. Patrick Sermas costruisce una grande lastra di quella lega e la fissa alla massa di ghiaccio. Sottoposto alla spinta del raggio, l'iceberg si muove nella direzione imposta. Comincia la caccia alla rotta di un transatlantico. L'affondamento del Titanic è una delle imprese più gloriose di Fantomax.

CONNESSIONI

1. *Estratti digitalizzati del diario di Patrick Sermas e un'ampia rassegna stampa sul Titanic sono disponibili sul server.*

2. *Il diario manoscritto che riporta integralmente le tappe dell'attacco al Titanic è conservato nella sala museale dell'antro di Ojmjakon (Sacha-Jacuzia, Siberia), che ospita anche il prototipo del macchinario per lanciare i raggi.*

5. LA PRIMA GUERRA MONDIALE (1914)

Raymond Houston studia ininterrottamente la politica internazionale: ci sono molti focolai di tensione e per la prima volta qualcuno ipotizza lo scoppio di un conflitto mondiale. Se questo conflitto ha una sola possibilità di scatenarsi, Fantomax la favorirà e ne trarrà benefici immensi.

Houston crede che Fantomax debba giocare un ruolo fondamentale nello scacchiere della politica internazionale. I grandi eventi della storia saranno altrettante distrazioni che Fantomax potrà utilizzare per potenziare la propria presenza nel pianeta. I tempi di guerra, quando gli occhi, le orecchie e anche i pensieri sono altrove, risultano ideali per la costruzione di nuovi antri e per la sperimentazione di armi, comprese quelle psicologiche.

L'animosità fra la Francia e la Germania e le aspirazioni nazionalistiche degli Stati balcanici sono altrettante micce pronte a deflagrare. Houston compie diversi viaggi in Bulgaria, Serbia, Bosnia ed Erzegovina. In ognuno di quei Paesi finanzia piccole cellule di combattenti, le tiene costantemente pronte all'uso.

In particolare, Houston infiltra alcuni uomini di Fantomax nella setta serba denominata "Mano nera". Sono proprio loro a ispirare l'attentato mortale contro l'arciduca Francesco Ferdinando, a Sarajevo il 28 luglio 1914.

In un crimine non importa la mano che lo commette, importa chi l'ha armata e perché lo ha fatto. L'assassinio dell'arciduca e il conseguente scoppio della Prima Guerra Mondiale, altrimenti detta Grande Guerra, sono capolavori dello spirito di intraprendenza del Male e della sua capacità di modificare il corso della storia.

Durante il corso della guerra gli uomini di Fantomax sono instancabili: costruiscono nuovi antri un po' in tutta Europa, acquistano opifici per riconvertirli in fabbriche di armi, si infiltrano pian piano negli eserciti, nei corpi diplomatici, nelle compagini governative dei contendenti. A guerra ultimata, in Europa, non ci saranno più segreti per Fantomax.

Quello che più conta per Fantomax è la prova di una consapevolezza che già aveva raggiunto: se si offre agli uomini la possibilità di praticare il Male, loro sorprenderanno per la fantasia, la caparbietà e la perfidia con le quali segneranno il cammino delle loro imprese.

CONNESSIONI

1. *Un estratto digitalizzato dei documenti relativi alla Prima Guerra Mondiale è disponibile sul server.*

2. *I faldoni originali dei documenti relativi alla Prima Guerra Mondiale sono depositati presso l'antro di Chernobyl (Ucraina).*

6. LA "MADONNA" DI FATIMA (1917)

Fantomax considera le religioni un nemico. Le religioni sono fumose, ingannevoli. Per giustificare le sofferenze imposte nel corso della vita terrena, l'unica concessa agli esseri umani, fanno credere all'esistenza di un livello superiore. Le religioni sono un braccio del potere politico: le peggiori malefatte sono sempre state compiute nel nome di un qualche dio.

Fantomax crede che il Male conduca alla liberazione dai timori, e quindi anche da quel bisogno di spiritualità che troppo spesso affligge l'essere umano.

Fantomax ha spesso smascherato le ambiguità e i sotterfugi delle religioni. A volte con quelle menzogne ha pure giocato, anticipando lo spirito di quei surrealisti che tanto ameranno la sua incarnazione letteraria.

La beffa più colossale alla religione cristiana, Fantomax la mette in scena a Fatima, una cittadina del Portogallo. I fatti sono troppo noti per doverli ricordare. Conviene però vederli dall'angolazione giusta: dietro le quinte.

Attraverso un gioco ingegnoso di specchi, Patrick Sermas contrabbanda come apparizione della Madonna la visione della propria giovane fidanzata opportunamente truccata e abbigliata. La presunta apparizione, per essere ancora più credibile, si ripete a intervalli mensili, per ben sei volte. Nel corso di queste apparizioni, la "Madonna" predice ai tre ragazzini vittime della beffa alcuni avvenimenti futuri, noti come "Segreti di Fatima".

Patrick Sermas, Léo Courteneuve e Raymond Houston si erano divertiti molto a escogitarli. Il primo, che preannuncia la fine imminente della Grande Guerra, era basato sulla conoscenza dei fatti. Il secondo, che profetizzava un nuovo futuro di conflitti se gli uomini non si fossero messi sulla retta via, era una banalità sconcertante che soltanto gli sciocchi potevano elevare a rivelazione. Il terzo, più sfumato, prediceva l'assassinio di un pontefice. Per dare valore alla loro "profezia" i tre avevano deciso che se entro un secolo qualche cittadino del mondo non avesse provveduto ad ammazzare il papa, lo avrebbe dovuto fare un Fantomax futuro.

Quando nel 1930 la Chiesa cattolica proclama il carattere soprannaturale delle apparizioni di Fatima e ne autorizza il culto, Patrick Sermas e Léo Courteneuve (Raymond Houston era purtroppo morto l'anno precedente) capiscono che a Fantomax nulla è ormai precluso.

CONNESSIONI

I. *Un estratto digitalizzato dei documenti relativi alla beffa di Fatima è disponibile sul server.*

2. *L'originale della stesura dei tre segreti di Fatima, manoscritto da Patrick Sermas, Léo Courteneuve e Raymond Houston e sigillato dal notaio André Crevel, è conservato nell'antro di Amphoe Palian (Thailandia).*

7. REAZIONE E RIVOLUZIONE (1917)

Nulla è più nefasto per Fantomax di un potere politico che si protrae nel tempo, sia esso di natura assolutistica o democratica. La stabilità politica crea assuefazione e l'assuefazione è uno dei nemici più infidi del Male.

Fantomax ama le insurrezioni, le rivoluzioni, le controrivoluzioni, il terrorismo, l'assassinio politico, il colpo di Stato. Fantomax sostiene qualunque forma di lotta politica, nella convinzione che il conflitto generi i presupposti per l'espansione del Male.

Fantomax sovvenziona i gruppi rivoluzionari. Lo fa con discrezione, mai spendendo il proprio nome, per nulla aderendo alle idee che contribuisce a diffondere. Una volta che i gruppi rivoluzionari hanno conquistato il potere, per la stessa logica di mantenere alto il livello dello scontro, Fantomax sussidia le fazioni controrivoluzionarie.

La Prima Guerra Mondiale lascia molti problemi irrisolti, in particolare crea le condizioni per la rivoluzione proletaria in Russia e l'avvento dei nazionalismi in Germania e in Italia.

Fantomax usa la rete che ha saputo costruire in tempo di guerra e diventa protagonista della rapida evoluzione degli scenari continentali. Il risultato è superiore a ogni aspettativa: niente sarà più come prima e bastano un paio di decenni per precipitare il mondo in un nuovo conflitto.

Non tutto va come deve andare, Fantomax non se ne preoccupa: la storia è una deriva caotica lungo la quale nulla si riproduce nello stesso modo. Basta saperlo e agire ogni volta di conseguenza.

Lenin, il battagliero conduttore della Rivoluzione bolscevica, dà grandi soddisfazioni a Fantomax, e ancora di più ne offre Stalin, il suo successore: in pochi anni trasformano la pigra nazione zarista in una quasi invincibile macchina da guerra. Benito Mussolini è visto come una figura marginale in cerca di ribalta, e non riceve nessun appoggio. Adolf Hitler ha il sostegno di Fantomax nei primi anni, quando professa la rivoluzione nazionalsocialista, è abbandonato quando pretende per sé e per il suo movimento una sorta di investitura divina. Il solo accenno alla divinità fa infuriare Fantomax, che diventa nemico giurato del dittatore con i baffetti, fino a braccarlo, stanarlo e ucciderlo personalmente.

CONNESSIONI

1. *Le schede sinottiche dedicate a Stalin e Hitler sono disponibili sul server.*

2. *Il dettaglio dei finanziamenti ai movimenti rivoluzionari e controrivoluzionari è conservato nell'archivio dell'antro di Parigi.*

8. L'AMERICA PROIBIZIONISTA (1920)

Fantomax sa che le persone quando vanno in collera sono naturalmente predisposte al Male. Sa anche che per mandare in collera le persone il modo migliore è togliere loro beni e abitudini ai quali tengono molto.

Dopo la fine della Prima Guerra Mondiale il consumo di bevande alcoliche aumenta a dismisura, vuoi grazie al sollievo per lo scampato pericolo, vuoi per la speranza di dimenticare lutti, mutilazioni e rancori, vuoi semplicemente per stordirsi in qualche ora di allegria e spensieratezza.

Da sempre il consumo di bevande alcoliche produce disordine, atti di violenza, insicurezza, morte. Fantomax sa che questi sono elementi attraverso i quali è facile fare leva sull'opinione pubblica.

Fantomax finanzia movimenti favorevoli alla proibizione della vendita di bevande alcoliche, nel contempo fa approntare ai suoi uomini alcune distillerie clandestine. Negli Stati Uniti, nazione bigotta e puritana quanto poche altre, questi movimenti raccolgono un favore crescente. Il 16 gennaio 1919, il governo federale è costretto a ratificare una legge che vieta la produzione, l'importazione, l'esportazione e la vendita di bevande alcoliche.

La legge diventa effettiva l'anno successivo. Nasce il periodo cosiddetto del Proibizionismo. L'alcol però continua a trovarsi lo stesso in vendita, solo che per comprarlo bisogna andare nelle mescite clandestine, gestite da fuorilegge e non di rado rifornite dalle distillerie di Fantomax.

Con poche ma abilissime mosse, Fantomax ha creato il retroterra ideale nel quale muoversi, un mondo sotterraneo brulicante di manigoldi di ogni risma, di gente disposta a tutto pur di guadagnare soldi facili.

Per un buon decennio il gangsterismo americano scrive pagine gloriose che appartengono di diritto all'archivio delle malefatte di Fantomax.

Quando, nel 1933, il governo ratifica la fine dell'era proibizionista, Fantomax ha guadagnato cifre spropositate, si è insediato nelle città più importanti degli Stati Uniti e ha costituito una rete capace di tenere sotto controllo l'intero territorio federale.

CONNESSIONI

1. *Una sintesi dei documenti che provano il rapporto intenso fra Fantomax e il gangsterismo americano è disponibile sul server.*

2. *Attorno alla distilleria clandestina di Chicago (Illinois) è stato costruito l'antro più importante degli Stati Uniti. La distilleria è ancora perfettamente funzionante, anche se è stata convertita alla produzione di sostanze tossiche.*

9. LE DONNE DI FANTOMAX (1923)

Patrick Sermas, Léo Courteneuve e Raymond Houston sono grandi amanti della vita, in particolare delle belle donne. Amanti discreti e rispettosi, consapevoli che il temperamento femminile è ancora più naturalmente predisposto al Male di quello maschile, nonostante la pretesa contraria del pensiero comune.

Léo Courteneuve è stato amante di Mata Hari. Il loro rapporto è durato poche settimane: dal modo di essere della donna ha appreso importanti verità sull'animo femminile. Raymond Houston ha avuto una relazione con entrambe le Dolly Sisters, che si sono infatuate dei suoi innumerevoli pozzi di petrolio: è stato uno dei pochi uomini sulla terra a non rovinarsi a causa della loro frequentazione. Meno fantasioso nelle sue conquiste, Patrick Sermas aveva relazioni veloci con donne sempre molto giovani, che vedevano nella sua eccentricità l'occasione per trascorrere momenti disimpegnati e stravaganti.

L'idea di formare un Nucleo femminile al servizio di Fantomax è di Camille Fournier, la ragazza che aveva interpretato il ruolo della Madonna nella beffa di Fatima.

Il Nucleo si avvale della collaborazione di Fantomax per individuare gli obiettivi. Grazie alla bellezza e all'atteggiamento ammaliante delle ragazze, gli obiettivi cadono nella trappola. La divisione è equa: alle ragazze il denaro, a Fantomax i segreti di cui riescono a impadronirsi.

Nel tempo di un decennio, politici, industriali, finanzieri, scienziati, militari rendono inconsapevolmente grandi servizi a Fantomax, oltre ad arricchire le ragazze per le quali perdono via via la testa.

Nel 1923, il 18 maggio, Didier Leconte, ufficiale dei servizi segreti francesi e amante di Camille Fournier, capisce che la donna gli ha strappato importanti informazioni riservate. Invece di affrontarla a muso duro come converrebbe a un militare, sceglie la via breve del suicidio. Il caso fa scalpore, nessuno sa spiegarsi la ragione di un gesto così definitivo. Leconte lascia una moglie, tre figli e una vita che a tutti era sempre parsa irreprensibile. Nel breve arco della sua prima esistenza, il Nucleo femminile colleziona un totale di diciannove suicidi e tre stragi famigliari. Il Nucleo si scioglie di lì a pochi anni, in concomitanza con il varo del nuovo organigramma direttivo di Fantomax. Sarà riallestito una ventina di anni dopo e non smetterà più di essere operativo.

CONNESSIONI

1. *L'elenco di tutte le donne che hanno lavorato per il Nucleo è disponibile sul server.*

2. *Negli antri di Parigi e di Chicago sono custoditi i documenti originali e altre curiosità sottratti dalle donne del Nucleo alle loro vittime.*

10. PROVE TECNICHE DI TERREMOTO: GIAPPONE (1923)

Patrick Sermas è il più grande scienziato dei suoi tempi. La sua è una scienza nascosta: non partecipa ai congressi, non guadagna nessun tipo di riconoscimento, però è destinata a cambiare il mondo.

Da tempo, Patrick Sermas ritiene che il controllo dei terremoti sia l'arma decisiva per la conquista del pianeta. Sermas si circonda di collaboratori validissimi che fanno più volte il giro del mondo alla ricerca di faglie dove condurre i loro esperimenti. Grandi osservatori del terreno, rabdomanti dell'oscillazione tellurica, i collaboratori di Sermas sono dei pionieri del progresso scientifico, anche se non verrà loro mai riconosciuto.

Il più dotato dei collaboratori di Patrick Sermas è un giovane giapponese, Yoshimasa Niino. Costui convince Fantomax che nella sua nazione di origine esiste una faglia assolutamente instabile, capace di produrre rovinosi movimenti del terreno.

Un laboratorio viene istituito sul campo. Si scavano gallerie, la faglia viene solleticata con ripetute scariche elettriche e con un percussore meccanico di potenza strabiliante. Il risultato non tarda a manifestarsi.

Il grande Terremoto del Kantō colpisce la mattina dell'1 settembre 1923, due minuti prima di mezzogiorno. Il sisma ha una magnitudine fra 7.9 e 8.4 gradi della scala Richter, la durata è fra i quattro e i dieci minuti. Il terremoto devasta Tokyo, il porto di Yokohama e le prefetture circostanti di Chiba, Kanagawa e Shizuoka. I morti sono quasi centocinquantamila, molti di più se nel computo si sommano i dispersi.

Non era intenzione di Fantomax provocare un simile disastro. Sono stati gli incendi, propagati da un tifone in arrivo dal nord, a causare il massimo numero di morti, trentottomila solo in una radura nelle vicinanze di Tokyo: tutta gente che, ormai convinta di essere in salvo, è investita da un tornado di fuoco che la incenerisce all'istante.

Il successo dell'esperimento è totale, ma come nel caso dell'antimateria utilizzata a Tunguska gli effetti collaterali frenano l'entusiasmo. Ci vorranno ancora alcuni decenni prima che Fantomax possa calcolare con precisione potenza, durata, estensione e presumibile numero di vittime di un terremoto.

CONNESSIONI

1. *La mappa tellurica del pianeta, realizzata dai sismologi di Fantomax, è disponibile sul server.*

2. *La documentazione del terremoto del Kantō è archiviata nell'antro di Chernobyl (Ucraina). In un'apposita sala è visibile il prototipo del percussore meccanico usato nell'occasione.*

11. LA MORTE DI RAYMOND HOUSTON E IL TESTAMENTO DI FANTOMAX (1928)

Patrick Sermas, Léo Courteneuve e Raymond Houston sanno di non essere immortali, Fantomax invece dovrà esserlo. Organizzano il suo futuro per quando loro tre non ci saranno più. Hanno predisposto una filiera di comando inattaccabile. L'unico problema è la testa: occorre un capo supremo addestrato a dare gli ordini giusti, senza scrupoli nel darli.

Sermas, Courteneuve e Houston decidono che il reggente di Fantomax dovrà avere un Custode, una persona che lo accompagni in ogni momento della giornata, gli ricordi gli impegni e lo solleciti costantemente a svolgere al meglio il proprio mandato. Il Custode deve inoltre conoscere la filiera dell'organizzazione ed essere in grado di rispondere a qualsiasi domanda. Sermas, Courteneuve e Houston scelgono tre candidati alla loro successione. Un consiglio composto da dieci membri eleggerà quello che sarà considerato il migliore, sulla base di schede personali costantemente aggiornate. I due candidati perdenti saranno giustiziati, per evitare che possano rivendicare indennizzi o creare problemi di qualsiasi tipo. Ogni Fantomax resterà in carica cinque anni. Alla fine del mandato il suo Custode avrà tempo tre settimane per ucciderlo e dare il via alla cerimonia di elezione del nuovo Fantomax. È una pratica crudele, ma deve esserlo: nessun Fantomax deve pensare di valere di più del servizio che offre alla causa del Male. Patrick Sermas, Léo Courteneuve e Raymond Houston decidono che alla morte di uno dei tre gli altri due si ritireranno in appartamenti comunicanti a loro destinati nell'antro di Parigi. Da lì non potranno muoversi, né interferire con le attività dell'organizzazione, a meno che non sia Fantomax stesso a chiedere il loro consiglio. A Raymond Houston è diagnosticato un male incurabile al pancreas. La sua è un'agonia breve e dignitosa. Muore nel tempo di un paio di mesi, il 20 giugno 1928.

Tre anni dopo, forse per il peso dell'inattività e nonostante qualche scappatella proibita fuori dall'antro, Léo Courteneuve si toglie la vita.

Patrick Sermas muore di infarto cardiocircolatorio nel 1943. Fino all'ultimo si è dedicato ai suoi studi scientifici. Gli appunti trovati nel suo appartamento saranno fondamentali per la realizzazione delle tecnologie avanguardistiche di cui Fantomax dispone.

CONNESSIONI

1. *Le biografie di Patrick Sermas, Léo Courteneuve e Raymond Houston sono disponibili sul server.*

2. *Le tombe di Patrick Sermas, Léo Courteneuve e Raymond Houston sono state trasferite nell'antro di Chernobyl (Ucraina), accanto alle stanze museali che contengono cimeli appartenuti ai tre fondatori di Fantomax. L'ingresso alle tombe è proibito a chiunque.*

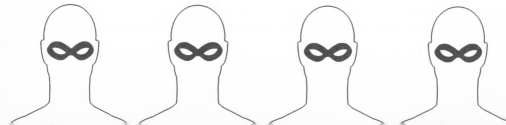

12. IL CROLLO DI WALL STREET (1929)

Alla morte di Raymond Houston e al conseguente ritiro di Patrick Sermas e Léo Courteneuve, il consiglio elegge il nuovo Fantomax. È Yoshimasa Niino, giapponese, fisico, assistente di Patrick Sermas nel preparare le condizioni del terremoto rovinoso del 1923.

La prima grande impresa del nuovo Fantomax non ha nulla a che vedere con le sue competenze. Questo non deve stupire: ogni impresa è sempre il frutto di un lavoro precedente. Fantomax deve conoscerlo fino all'ultimo dettaglio e saper cogliere il momento giusto per attivarsi.

Per far salire i prezzi di borsa occorre una grande disponibilità di capitali. Una calibrata politica di acquisti in successione accresce il valore delle azioni. È ovvio però che il prezzo non può aumentare all'infinito, anche perché quando il costo delle azioni è troppo alto gli investitori tentennano: per realizzare grandi guadagni bisogna infatti che il prezzo di acquisto sia il più basso possibile.

Léo Courteneuve è un finanziere accorto e fantasioso, manovra il denaro come note di uno spartito. La trappola che ha preparato è una sinfonia. A Yoshimasa Niino non resta che eseguirla.

Il 24 ottobre del 1929 vende d'un sol colpo il settanta per cento delle azioni in possesso di Fantomax. Quando viene ceduto un numero così considerevole di azioni, gli altri investitori sono anch'essi naturalmente portati a liquidare le proprie posizioni. Così avviene e il crollo dei valori è impressionante: quella data è ricordata come *giovedì nero*. Il lunedì successivo, all'apertura dei mercati, Fantomax liquida il restante trenta per cento. È un tonfo che si aggiunge al tonfo, il crollo epocale: *il lunedì nero* di Wall Street che trascina gli Stati Uniti d'America nella grande depressione.

Fantomax realizza un utile stratosferico. Ha venduto in forte attivo il settanta per cento delle azioni in suo possesso, che aveva comprato a prezzi molto bassi. Ha perduto cifre trascurabili con il residuo trenta per cento. Ma quel che più conta, dopo il crollo, può ricostruire il proprio pacchetto azionario a prezzi irrisori. Un pacchetto di azioni che decuplica nel tempo il valore, fino al momento in cui sarà opportuno scatenare una nuova crisi.

CONNESSIONI

1. *Il dettaglio delle operazioni in borsa di Fantomax è disponibile sul server.*

2. *La prima azione acquistata da Fantomax, emessa da uno stabilimento siderurgico alsaziano e mai rivenduta, è conservata nell'antro di Parigi.*

DELENDA

FANTOMAX

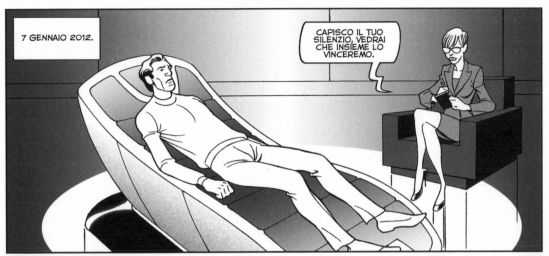

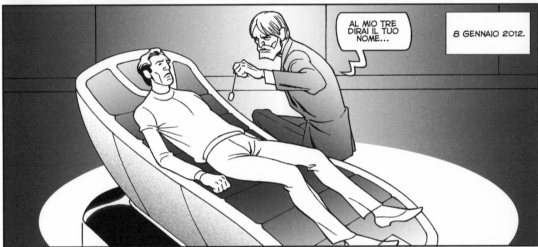

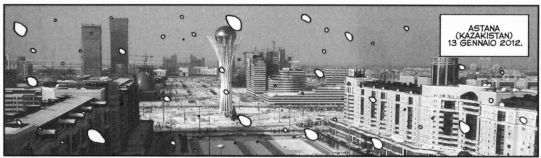

ASTANA
(KAZAKISTAN)
13 GENNAIO 2012.

ANCORA
NIENTE?

STIAMO PROVANDO
IN TUTTI I MODI,
MA IL TIPO SEMBRA
PROPRIO AVERE
PERDUTO LA
MEMORIA.

LA TAC NON EVIDENZIA
DANNI CEREBRALI.
DA QUALCHE PARTE
LA MEMORIA CE L'HA.
SIETE VOI CHE NON
RIUSCITE A FARGLIELA
RECUPERARE

LE DIRÒ DI PIÙ:
FRA I FINANZIATORI
COMINCIA A
SERPEGGIARE
QUALCHE DUBBIO...

BUONI QUELLI.
LA VERITÀ È CHE SE LA
FANNO ADDOSSO PER
PAURA DI *FANTOMAX*.

SE FOSSE COSÌ
SAREBBE AFFAR LORO.
AFFAR SUO E DEI
SUOI UOMINI È TENERE
FEDE AL COMPITO CHE
VI SIETE ASSUNTI:
LIBERARE IL MONDO
DA FANTOMAX.

82

83

84

NON HO VOGLIA DI UCCIDERLO.

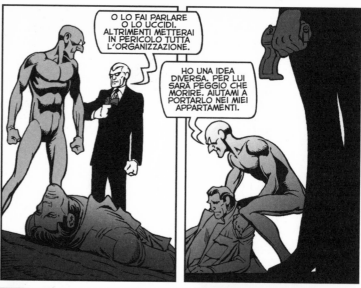

O LO FAI PARLARE O LO UCCIDI. ALTRIMENTI METTERAI IN PERICOLO TUTTA L'ORGANIZZAZIONE.

HO UNA IDEA DIVERSA. PER LUI SARÀ PEGGIO CHE MORIRE. AIUTAMI A PORTARLO NEI MIEI APPARTAMENTI.

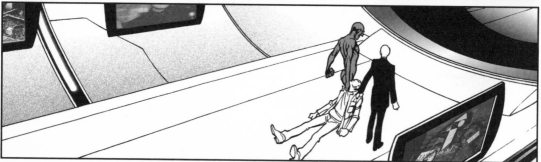

ECCO FATTO, CON QUESTA SONO DIECI SOSTANZE DALLE QUALI DIVENTERÀ DIPENDENTE. PASSERÀ IL RESTO DELLA VITA A FARSI. E PERDERÀ LA MEMORIA DI CIÒ CHE ERA PRIMA DI INCONTRARMI.

ERA PIÙ SICURO UCCIDERLO.

LO SO CHE ERA PIÙ SICURO UCCIDERLO. MA FRA POCO PIÙ DI UN ANNO E MEZZO TU MI UCCIDERAI E DOPO QUALCHE GIORNO QUALCUNO UCCIDERÀ TE. SIAMO VICINI ALLA FINE DEL MANDATO. SE QUESTO TIPO DOVESSE DARE ULTERIORI PROBLEMI CI PENSERANNO I NOSTRI SUCCESSORI.

SAPPI CHE NON SONO D'ACCORDO.

ME L'HAI GIÀ DETTO CHE NON SEI D'ACCORDO. HO CAPITO: NON SEI D'ACCORDO. SAI QUANTO ME NE IMPORTA.

MI STA SUL CAZZO, LO CAPISCI CHE MI STA SUL CAZZO. MI STA SUL CAZZO DOVER MORIRE E ANCORA DI PIÙ MI STA SUL CAZZO NON ESSERE RIUSCITO A FAR SALTARE IN ARIA IL PAPA. LO SAI QUANTO CI TENEVO.

IL RITARDO ERA INCOLMABILE. I RESPONSABILI SONO STATI PUNITI.

LI HO AMMAZZATI UNO PER UNO. UNA SODDISFAZIONE DA NIENTE RISPETTO A QUELLO CHE AVEVO PIANIFICATO.

...ACIDO LISERGICO, DIAZEPAM, MESCALINA, EROINA, KETAMINA TUTTI I GIORNI PER DIECI GIORNI. POI LASCIALO PURE IN STRADA. È IMPORTANTE CHE IMPARI I NOMI DELLE COSE CHE GLI DAI, COSÌ POTRÀ PROCURARSELE DA SOLO, SE TROVA I SOLDI.

DIVENTERÀ UN TOSSICO DA MANUALE. ANDIAMO A SEDERCI IN UN BAR, CI PRENDIAMO UNA DI QUELLE BRODAGLIE CHE CHIAMANO CAFFÈ E CI GUARDIAMO LE RAGAZZE CHE PASSANO. CHISSÀ, FORSE È L'ULTIMA VOLTA CHE MI PUÒ CAPITARE UN'OCCASIONE DEL GENERE.

ISLA GENOVESA, GALAPAGOS, ECUADOR, 11 GENNAIO 2012.

SIAMO DENTRO IL VULCANO CHE HA DATO ORIGINE ALL'ISOLA. QUI PORTIAMO AVANTI GLI ESPERIMENTI PIÙ COMPLESSI.

NON HA DETTO NIENTE CHE NON SAPESSI GIÀ. VOGLIO VEDERE I RISULTATI.

QUESTO CORRIDOIO CONDUCE AI LABORATORI DI SPERIMENTAZIONE. NON CI HA DATO MOLTO TEMPO, MA CREDO DI AVERE QUELLO CHE FA PER LEI...

PER FANTOMAX, NON PER ME.

NON AVEVO MAI VISTO LA PIANTA DI QUEST'ANTRO. COSA C'È NEGLI ALTRI CORRIDOI?

SERVIZI. ALLOGGI PER IL PERSONALE, CUCINE, SALE RICREATIVE. NON È CHE SIA UNA GRAN VITA FUORI, ALLORA DOBBIAMO ARRANGIARCI. NATURALMENTE CI SONO ANCHE PICCOLI APPARTAMENTI PER FANTOMAX E IL SUO CUSTODE.

ECCO QUA I PRODOTTI CHE AVEVA CHIESTO.

BEL LAVORO, SONO TUTTI PRONTI?

PRONTISSIMI. LI POSSIAMO RILASCIARE ANCHE DOMANI, IN QUANTITÀ SIGNIFICATIVE. NATURALMENTE I CARATTERI IMMESSI SONO EREDITARI.

CI VORRÀ QUALCHE MESE, FORSE UN ANNO PERCHÉ IL LORO IMPATTO SIA AL MASSIMO DELLA POTENZA.

UN ANNO È PROPRIO QUELLO CHE MI SERVE. RILASCIATELI TUTTI ENTRO LA SETTIMANA.

POSSO CHIEDERE LO SCOPO?

NON NE AVREBBE DIRITTO. ABBIAMO DUE OBIETTIVI: LA DIMINUZIONE DELLA POPOLAZIONE E LA SUA CONCENTRAZIONE IN GROSSI NUCLEI ABITATIVI.

QUESTI ANIMALI MODIFICATI COSTRINGERANNO L'UOMO AD ABBANDONARE LE CAMPAGNE, I MARI E LE MONTAGNE. SARÀ UN PROCESSO LENTO, ALLA FINE DEL QUALE CI SARÀ MOLTO PIÙ FACILE TENERE IN PUGNO IL MONDO...

...PERCHÉ IN CITTÀ SAREMO OVUNQUE E TERREMO SOTTO CONTROLLO OGNI COSA, FINO AI PENSIERI DELL'ULTIMO ABITANTE.

CHIARISSIMO E BEN STUDIATO. C'È QUALCOS'ALTRO CHE POSSO FARE PER FANTOMAX?

SI METTA AL LAVORO SU VOLPI, CANI E PICCIONI. A LIVELLO PERSONALE LE CHIEDO DI PREDISPORRE UNA MIA USCITA ALL'APERTO, DOPO CENA. HO VOGLIA DI FARE UNA PASSEGGIATA SOLITARIA. RIPARTIREMO DOMANI.

SIA FATTA LA VOLONTÀ DI FANTOMAX.

"SONO PASSATI SEI MESI, SONO UN BRAVO FANTOMAX E VA TUTTO BENE, ANCHE SE MI PESA UN PO' DOVER VIVERE NASCOSTA."

"DA QUALCHE GIORNO MI SENTO NERVOSA. CREDO DI SAPERE DA COSA NASCE LA MIA INQUIETUDINE."

"LUI STA TORNANDO. FANTOMAX LO SENTE QUANDO LUI STA TORNANDO. SARÀ UNA BELLA BATTAGLIA, UNA BATTAGLIA PER LA VITA DI FANTOMAX. SONO PRONTA."

PARIGI, 31 DICEMBRE 2011.

NESSUNO, NON C'È NESSUNO...

LA FINE DEL MONDO SI È DIMENTICATA DI ME.

POLICE

EHI, BELLO, TI DICE NIENTE LA PAROLA *COPRIFUOCO?*

GUARDA COM'È CONCIATO. PORTIAMOLO DENTRO, VÀ...

NON HO MAI PRESO UNO RIDOTTO COSÌ. E DIRE CHE NE HO VISTI IN VITA MIA...

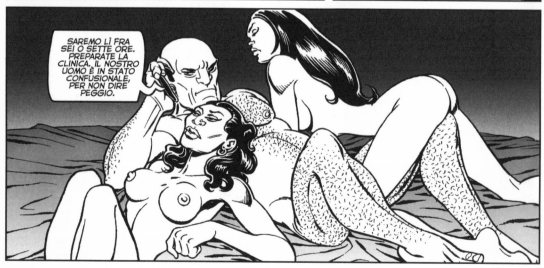

95

PARIGI, 29 GENNAIO 2012.

LE TRACCE SI FERMANO QUI. ERA L'UNDICI GENNAIO DELL'ANNO SCORSO.

IL FANTOMAX ITALIANO ERA UN PAZZO. UN ANARCHICO. IL MALE SENZA DISCIPLINA È SUBALTERNO AGLI INTERESSI DEL BENE.

PER FORTUNA IL CUSTODE HA LASCIATO DI NASCOSTO QUESTI APPUNTI...

INSOMMA, THOMAS È UN DISCENDENTE DI LÉO COURTENEUVE, UNO DEI TRE FONDATORI DI FANTOMAX.

SÌ, L'ULTIMO DISCENDENTE. NON RISULTANO ALTRI PARENTI IN VITA.

DOBBIAMO TROVARLO.

L'HO GIÀ TROVATO.

DOV'È?

DOVE NON AVREBBE MAI DOVUTO ARRIVARE. AD ASTANA, NELLE MANI DEL CARTELLO. IL NOSTRO NEMICO PIÙ PERICOLOSO.

ME LO SENTIVO CHE STAVA SUCCEDENDO QUALCOSA, ANDIAMO ADESSO. CI STANNO ASPETTANDO.

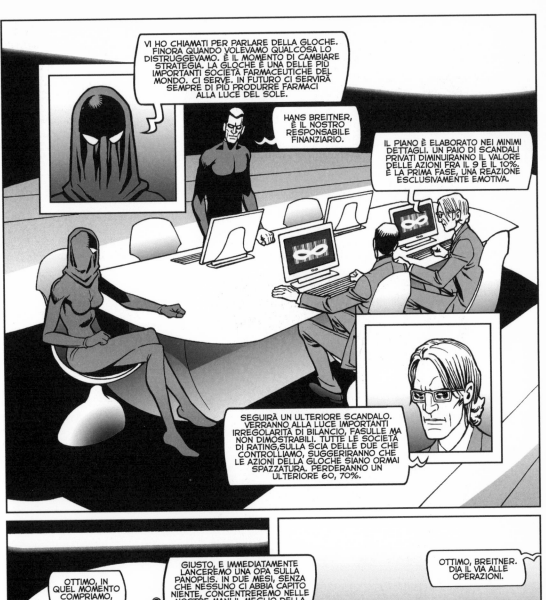

IL VATICANO L'HANNO FATTO ESPLODERE DAL BASSO. NON OSO IMMAGINARE LA QUANTITÀ DI ESPLOSIVO IMPIEGATO.

PROBABILMENTE ERANO ANNI CHE CI STAVANO LAVORANDO...

E QUESTO COSA VUOL DIRE?

NIENTE. SOLO CHE FANTOMAX HA UN MUCCHIO DI SOLDI E TUTTO IL TEMPO A DISPOSIZIONE.

NOI INVECE?

I SOLDI NON CI MANCANO, MA IL TEMPO È POCO. E I NOSTRI FINANZIATORI VOGLIONO RISULTATI.

CHI SONO I NOSTRI FINANZIATORI?

CHE IMPORTANZA HA PER TE?

NESSUNA. PIUTTOSTO, DOVE TROVA TUTTI QUEI SOLDI FANTOMAX?

NEI MERCATI FINANZIARI, IN GRAN PARTE SPECULANDO SULLE OPERAZIONI DI BORSA.

104

"COSA FA QUESTA GLOCHE?"

La Closerie
RESTAURANT-BAR
des Lilas

"MEDICINE. È UNA DELLE PIÙ IMPORTANTI CASE FARMACEUTICHE DEL MONDO."

PERCHÈ STA PERDENDO IL 6%?

IERI AVEVA PERSO IL 4%. DUE SCANDALI. L'AMMINISTRATORE DELEGATO È COINVOLTO IN UNA STORIACCIA DI PEDOFILIA, IL DIRETTORE GENERALE PARE PAGASSE LE PROSTITUTE CON DENARO AZIENDALE.

NON SONO NORMALI DUE SCANDALI DEL GENERE IN UN PAIO DI GIORNI.

NO, NON SONO NORMALI.

COMPRATE TUTTE LE AZIONI CHE POTETE.

È RISCHIOSO. SE GLI SCANDALI SONO VERI BUTTIAMO VIA UN SACCO DI QUATTRINI.

MI PAREVA DI AVER CAPITO CHE I SOLDI NON SONO UN PROBLEMA.

NON LO SONO.

E ALLORA COMPRATE.

LO SO CHE STANNO PERDENDO. COMPRATE, COMPRATE TUTTO QUELLO CHE POTETE.

VADO IN SEDE. SAI DOVE TROVARMI.

IO RIENTRO A PIEDI, È UN SACCO DI TEMPO CHE NON PASSO PER I GIARDINI.

TU ADESSO VIENI CON NOI.

FATEGLI CAPIRE CHE HA SBAGLIATO.

HAI CAPITO DI AVERE SBAGLIATO?

COS'HO FATTO?

HAI UN DEBITO DI 4.000 EURO, TUTTA LA ROBA CHE TI ABBIAMO VENDUTO ALLA FINE DELL'ANNO SCORSO. ERI SPARITO DALLA CIRCOLAZIONE. NOI PERÒ SAPPIAMO COME TROVARE CHI CI DEVE DEI SOLDI.

4.000? ME LI PROCURO SUBITO.

6.000. CON GLI INTERESSI.

MI SERVONO 6.000 EURO, SUBITO, ALLA FONTANA DEL LUXEMBOURG, E ANCHE UNA BRAVA INFERMIERA. POI TI SPIEGO.

GERUSALEMME,
SABATO 4 FEBBRAIO 2012,
ORE 17:28:00
(GMT+2).

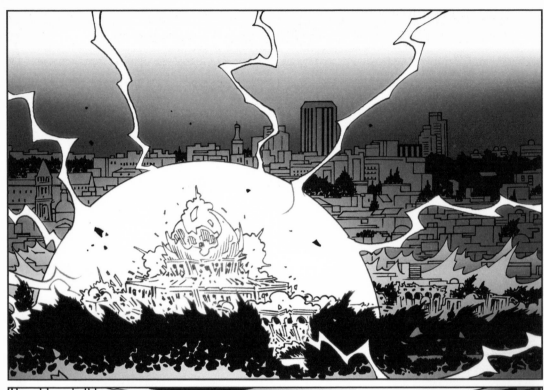

È TROPPO PIÙ FORTE DI NOI, NON CE LA POSSIAMO FARE.

SE VOLESSIMO, POTREMMO FAR SALTARE IN ARIA ISRAELE IN VENTISETTE SECONDI.

NON È QUESTIONE DI VOLERE, È QUESTIONE DI POTERE. IL BENE NON PUÒ COMPORTARSI COME FAREBBE IL MALE, NON SOLO NON VUOLE, NON PUÒ.

HO L'IMPRESSIONE CHE TU ABBIA STUDIATO POCO LA STORIA, THOMAS COURTENEUVE. DAMMI FANTOMAX, NON M'IMPORTA IL PREZZO DA PAGARE.

CERTO, TANTO NON SARAI DI SICURO TU A PAGARLO. TU NON PAGHI MAI NIENTE DI TASCA TUA. NON ERANO TUOI NEPPURE I SOLDI CHE SONO SERVITI A SALDARE IL MIO DEBITO CON IL PUSHER.

GLUCKSTADT,
SCHLESWIG-HOLSTEIN,
GERMANIA,
6 FEBBRAIO 2012.

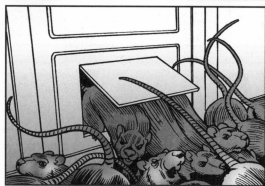

UN MIGLIAIO DI TOPI USCITI DALLE ACQUE DELL'ELBA HANNO INVASO LA CITTADINA DI GLUCKSTADT, A NORD DI AMBURGO. LA CONTA DEI MORTI E DEI FERITI È ANCORA IN CORSO, MA SI TRATTEREBBE DI UN'AUTENTICA TRAGEDIA...

ECCO, AD AMBURGO DOVETE TRASFERIRVI, TUTTI AD AMBURGO.

PARIGI, 8 FEBBRAIO 2012.

IL PREZZO DELLE GLOCHE STA CROLLANDO. CONTINUIAMO A COMPRARE?

NO, SOSPENDIAMO GLI ACQUISTI.

IL NUOVO SCANDALO È ARTEFATTO COME GLI ALTRI. IL MERCATO REAGISCE PREVEDIBILMENTE. ASPETTIAMO CHE LE AZIONI PERDANO UN ALTRO 20% E POI ACQUISTIAMO IN GRANDE QUANTITÀ.

MA PERCHÈ FANTOMAX DOVREBBE ESSERE INTERESSATO ALLA GLOCHE?

METTIAMO CHE ABBIA IN MENTE DI SCATENARE UNA NUOVA PANDEMIA. METTIAMO ANCHE CHE POSSIEDA UNA DELLE MAGGIORI SOCIETÀ FARMACEUTICHE DEL MONDO. UNISCI I PUNTINI E RICAVI IL DENARO E IL POTERE CHE POSSONO SVILUPPARSI DA UNA COMBINAZIONE DEL GENERE.

È MOSTRUOSO.

DEVO FORSE RICORDARTI TUTTE LE VOLTE CHE LO AVETE FATTO VOI? DALL'ULTIMA NON È POI PASSATO TANTO TEMPO...

TI DIRÒ DI PIÙ: QUALCOSA È GIÀ COMINCIATO, ANCHE SE NON CAPISCO COSA.

QUALCOSA COSA?

HAI SENTITO LE NOTIZIE DALL'ITALIA E DALLA GERMANIA? I CINGHIALI E I TOPI CHE HANNO INVASO DUE CENTRI ABITATI?

NON VORRAI FARMI CREDERE CHE FANTOMAX C'ENTRA ANCHE CON QUELLO? THOMAS COURTENEUVE, NON È CHE SEI UN PO' PARANOICO?

È VERO, SONO PARANOICO. SU QUESTO NON C'È NESSUN DUBBIO. MA TU HAI MAI VISTO TOPI E CINGHIALI DI QUELLE DIMENSIONI? COSÌ FEROCI DA PARERE PROGRAMMATI PER ATTACCARE?

"MA A CHE SCOPO?"

"QUESTO NON LO SO. CI HO PENSATO MA NON HO TROVATO NESSUNA SPIEGAZIONE. OCCORREREBBE STUDIARE QUEGLI ANIMALI, VEDERE SE SONO STATI GENETICAMENTE MODIFICATI E SOPRATTUTTO, SE SONO IN GRADO DI RIPRODURSI."

ME NE OCCUPERÒ. ANCHE SE NON CAPISCO COME FANTOMAX ABBIA POTUTO MODIFICARE I GENI DI TOPI E CINGHIALI.

CON FANTOMAX NON SERVE INTERROGARSI SUL COME, È IL PERCHÉ CHE IMPORTA.

"LE GLOCHE SONO SCESE DEL 50%."

"CALEREBBERO ANCORA. MA POSSIAMO PERMETTERCI DI RISCHIARE. COMPRALE TUTTE."

HOBART, TASMANIA, AUSTRALIA, 11 FEBBRAIO 2012.

OTTO MEDUSE DI DIMENSIONI MAI VISTE HANNO ATTACCATO ALCUNE BARCHE NEL PORTO DI HOBART, CAPITALE DELLA TASMANIA. TUTTI I PASSEGGERI DELLE IMBARCAZIONI SONO MORTI A CONTATTO CON IL LIQUIDO URTICANTE...

LA TASMANIA SERVE A FANTOMAX.

CNN

FUNZIONERÀ. TRASMETTO L'ORDINE. POTREBBE VOLERCI ANCHE PIÙ DI UNA SETTIMANA.

NON SO SE ABBIAMO TUTTO QUESTO TEMPO.

SEI TU, LO SO. MA NON TI GODRAI QUEGLI ANIMALETTI ANCORA PER MOLTO...

TUTTO A POSTO. ARRIVERÀ INSIEME AD ALTRI QUINDICI UOMINI. I DETTAGLI DEL PIANO PERÒ LI STUDIAMO IO E TE.

AH, AVEVI RAGIONE. ZHAKIYANOV MI HA RIFERITO CHE I TOPI E I CINGHIALI SONO MODIFICATI. GENI IMPIANTATI E EREDITARI...

I TOPI, I CINGHIALI, I BABBUINI E ORA LE MEDUSE. CHISSÀ COS'ALTRO CI ASPETTA...

E ANCORA NON RIESCO A CAPIRE IL PERCHÉ...

LO CAPIRAI. TU CAPISCI SEMPRE TUTTO. A PROPOSITO, ORMAI ABBIAMO IL 25% DELLA GLOCHE. E NON SAPPIAMO CHE FARCENE.

FANTOMAX LO SAPREBBE. E QUESTO TI DEVE BASTARE.

ALLORA, BREITNER, MI DICA COSA NON HA FUNZIONATO E CERCHI DI CONVINCERMI CHE NON È COLPA SUA.

È COME SE QUALCUNO FOSSE A CONOSCENZA DEL NOSTRO PIANO. CI HA SEGUITI PASSO DOPO PASSO. E POI HA GIOCATO D'ANTICIPO, INIZIANDO A COMPRARE AL RIALZO.

NESSUNO POTEVA ESSERE A CONOSCENZA DEI NOSTRI PIANI. E NESSUNO BUTTA VIA I SOLDI PER NIENTE.

A MENO CHE...

A MENO CHE?

DOPO...

VENDA TUTTE LE GLOCHE CHE ABBIAMO IN PORTAFOGLIO. SI CONCENTRI SULLA PANOPLIS O SU UNA EQUIVALENTE SOCIETÀ AMERICANA. STUDI QUALCOSA, BREITNER. VOGLIO UNA FARMACEUTICA, LA VOGLIO SUBITO.

SIA FATTA LA VOLONTÀ DI FANTOMAX.

SONO GIORNI CHE HO UNA SENSAZIONE. COME DI UNA MINACCIA CHE SI PREPARA A COLPIRE...

SPIEGATI MEGLIO.

NON MI TOCCARE, CUSTODE.

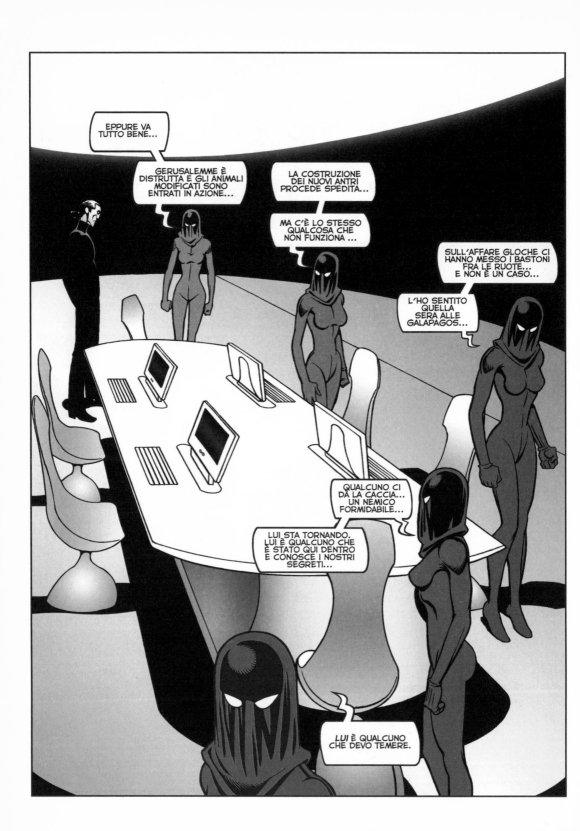

LAGO DI COMO, 18 FEBBRAIO 2012.

CHE POSTO INCANTEVOLE. PECCATO SOLO CHE FACCIA UN PO' FREDDO...

QUANDO SONO QUI, HO IDEA CHE NON MI POTREBBE CAPITARE NIENTE DI MALE.

...UN UOMO HA RIFERITO DI AVER VISTO DUE GIGANTESCHI PESCI SILURO INGHIOTTIRE IL FAMOSO ATTORE E LA SUA FIDANZATA. LA TESTIMONIANZA NON VIENE RITENUTA CREDIBILE DALLE AUTORITÀ...

CREDETECI INVECE.

"KAZAKI VESTITI DA POLIZIOTTI BLOCCHERANNO L'INGRESSO ALLA STAZIONE ST. MICHEL. BASTERANNO POCHI MINUTI..."

"L'OBIETTIVO È L'ACCESSO ALL'ASCENSORE..."

"SICCOME NON ABBIAMO IL CODICE, LO FORZEREMO"

"UNA VOLTA RIMOSSO IL PAVIMENTO, DIECI UOMINI COMINCERANNO A CALARSI..."

"PORTERANNO GIÙ LA BOMBA..."

125

126

È LA SIRENA DI VIOLAZIONE DELL'ANTRO. DOBBIAMO PRENDERE LA VIA DI FUGA.

DI QUA.

COS'È?

UNA MERAVIGLIA CHE CI PORTERÀ LONTANO...

NON CAPISCO, COSA STA SUCCEDENDO...

NON LO SO. MA QUANDO SUONA QUELLA SIRENA, FANTOMAX DEVE ABBANDONARE IMMEDIATAMENTE L'ANTRO.

È UNA SPECIE DI SOTTOMARINO DENTRO UN TUBO SUBACQUEO. AVREBBE DOVUTO ARRIVARE FINO ALLA MANICA, PERÒ MANCA ANCORA UN TRATTO. SI FERMA ALLA CITTADINA DI BEAUVAL.

LÌ CI ASPETTA UN ELICOTTERO, CI PORTERÀ A BRUXELLES. POI PRENDEREMO UN AEREO PER KIEV. E ANCORA UN ALTRO ELICOTTERO...

CHE NE SARÀ DELL'ANTRO DI PARIGI?

NON RICEVO PIÙ NESSUN SEGNALE.

SE NON HO CAPITO MALE RICOMINCEREMO TUTTO DACCAPO...

C'È UN SECONDO ANTRO UGUALE A QUELLO DI PARIGI. È LÀ CHE STIAMO ANDANDO. NULLA CAMBIERÀ. A PROPOSITO DI CAMBIARSI, NELLA VALIGIA CI SONO DEI VESTITI PER TE.

DOVE SI TROVA QUESTO ANTRO?

A CHERNOBYL.

SIA FATTA LA VOLONTÀ DI FANTOMAX.

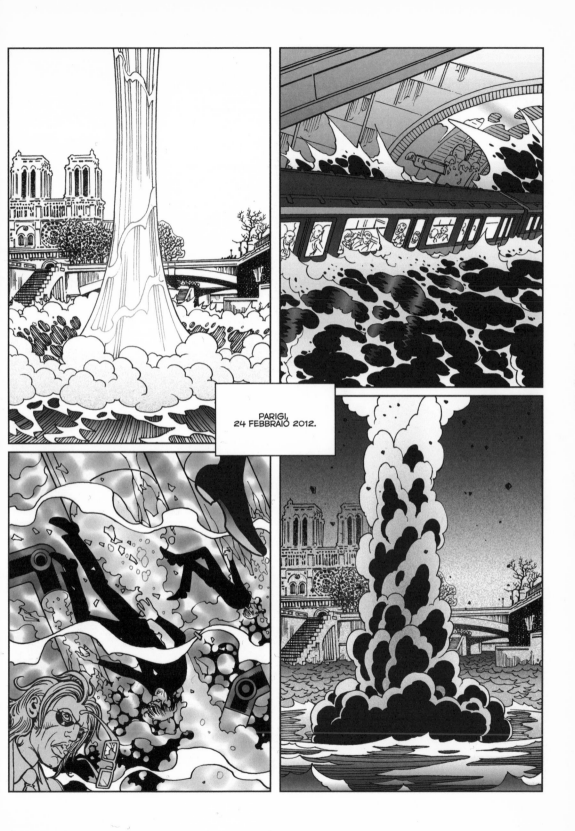

PARIGI,
24 FEBBRAIO 2012.

BEAUVAL, PICARDIE, 24 FEBBRAIO 2012.

COPRITI IL VOLTO E INDOSSA QUESTI. L'UOMO DELL'ELICOTTERO È DEI NOSTRI, NON TI DEVE VEDERE IN FACCIA.

HANNO PENSATO A DOTARE IL SOTTOMARINO DI VESTITI DI RICAMBIO. PERÒ SI SONO DIMENTICATI IL COSTUME. È GRAVE. PROVVEDI CHE NON ACCADA PIÙ.

PARTIAMO SUBITO.

SIA FATTA LA VOLONTÀ DI FANTOMAX.

NOTIZIE DA PARIGI?

DICONO CI SIA STATA UN'ESPLOSIONE NUCLEARE.

ME LO SENTIVO. AVEVO RAGIONE. LUI È FORTE. IO LO SARÒ DI PIÙ.

"SIA IMPERITURA LA GLORIA DEL MALE CHE SPARGEREMO."

GLI ARCHIVI SEGRETI DI
FANTOMAX

2

13. L'ARRESTO DI AL CAPONE (1931)

Gli anni cosiddetti della grande depressione sono un periodo di tempo nel quale la ricchezza di Fantomax cresce a velocità smisurata. È fenomenale il flusso di denaro contante prodotto dalle bische e dalle distillerie clandestine che finisce ogni giorno nelle casse di Chicago, da dove viene smistato per finanziare sempre nuove attività, fra cui l'apertura di alcune banche di affari in Europa e Sudamerica. I guadagni immensi conseguenti il crollo di Wall Street non fanno che accrescere il bottino della guerra di Fantomax contro il mondo.

C'è però una nota stonata in questa marcia trionfale: un uomo che Fantomax non riesce a tenere sotto controllo, un malvivente che rifiuta di assoggettarsi alla rete delle sue direttive supreme. L'uomo si fa chiamare Al Capone ed è il criminale più ricercato degli Stati Uniti. Sulle sue tracce si muove addirittura una squadra di agenti federali del Dipartimento del Tesoro, i cosiddetti "Intoccabili" capitanati da Eliot Ness. Fantomax potrebbe uccidere Al Capone, farlo sparire dalla circolazione e chiudere in questo modo la partita. Decide invece di confezionare una prova che i federali potranno usare per incastrare il loro nemico dichiarato: è il modo più pulito per eliminare Al Capone dalla scena criminale, inglobandone successivamente le attività.

Fantomax, in abiti civili, con un parrucchino e un paio di occhiali che dissimulano una fisionomia peraltro sconosciuta alle forze di polizia, incontra Eliot Ness, gli stringe la mano e gli consegna il foglietto di carta che costerà la libertà ad Al Capone. Ness dà un'occhiata veloce al documento, sorride, fa per ringraziare l'uomo che glielo ha fornito ma intorno a sé non vede più nessuno. Scrolla le spalle e va dai suoi agenti: quello che conta è finalmente inchiodare Al Capone al banco degli imputati e farlo condannare, così come accadrà.

Per avere la certezza che il gangster sia finito per sempre, durante il terzo giorno di prigionia nel carcere di Atlanta, Fantomax trova il modo di far inoculare ad Al Capone il batterio della sifilide, malattia che gli sarà ufficialmente diagnosticata dopo il trasferimento al carcere di Alcatraz, insieme alla conseguente demenza. Una triste fine per l'ultimo malvivente a credere di poter operare contro le direttive di Fantomax.

CONNESSIONI

1. *L'immagine del foglietto consegnato a Eliot Ness è disponibile sul server insieme a una fotografia che documenta la stretta di mano fra Fantomax e Ness. Per motivi evidenti il volto di Fantomax è reso irriconoscibile.*

2. *La coltura dei batteri della sifilide inoculati ad Al Capone è congelata nelle celle frigorifere dell'antro di Isla Genovesa, Galapagos, Ecuador.*

14. OPERAZIONE BARBAROSSA (1941)

La forza è la qualità che Fantomax conosce più di ogni altra. Senza forza si è destinati a subire quella degli altri e ogni obiettivo è precluso. Fantomax ha sempre amato la capacità degli uomini di farsi valere: è la condizione principale per operare il Male e diffonderne il più possibile le radici. Di contro, Fantomax non ha mai creduto ai pastrocchi ideologici che talvolta sovrintendono l'uso della forza.

L'avvento al potere di Adolf Hitler era stato guardato con interesse da Fantomax, attenzione presto guastata dall'incapacità del dittatore tedesco di mantenere le prerogative genuine. Per Fantomax gli uomini sono tutti uguali, l'antisemitismo e la pretesa di uno spazio vitale per il popolo tedesco sono altrettante sciocchezze che lo mandano fuori dai gangheri.

Il 22 giugno 1941 prende avvio la cosiddetta *Unternehmen Barbarossa*, nome in codice dietro il quale la Germania nazista nasconde l'obiettivo di conquistare l'Unione Sovietica. I piani di Hitler sono di aggredire l'impero sovietico lungo tre direttrici, una settentrionale con meta finale la conquista di Leningrado, una centrale che si indirizza su Mosca e una a sud che, dopo la presa di Kiev e di tutta l'Ucraina, punta alla conquista dell'intera Russia meridionale. Per raggiungere il traguardo i tedeschi dispongono di una forza imperiosa: tre milioni di soldati, centosettanta divisioni, trenta delle quali corazzate o motorizzate. I sovietici hanno forze superiori, ma largamente meno equipaggiate, tanto che la loro aviazione è sostanzialmente annientata in meno di una settimana. Niente sembra poter fermare l'avanzata nazista, ed è allora che Fantomax interviene.

L'assedio di Leningrado, novecento giorni durante i quali l'esercito e la popolazione cittadina resistono all'attacco nazista, è una delle pagine più eroiche della storia di Fantomax. Bastano poche centinaia di uomini fedeli, e ben riforniti attraverso un canale sotterraneo, a creare lo spirito di resistenza che costringe i tedeschi fuori dalle porte. Lo stesso avviene nelle campagne ucraine, dove gli uomini di Fantomax si pongono alla testa di un esercito sfiduciato, rintuzzando attacco su attacco e infiammando gli animi con imprendibili controffensive. Alla fine Hitler deve ripiegare, ma senza l'intervento decisivo di Fantomax la storia sarebbe andata diversamente.

CONNESSIONI

1. *Il tracciato del canale sotterraneo attraverso il quale Fantomax riforniva i propri uomini di stanza a Leningrado è disponibile sul server.*

2. *L'elmetto di uno delle centinaia di soldati tedeschi uccisi da Fantomax in Ucraina è conservato nell'antro di Chernobyl (Ucraina).*

15. MONARCHIA O REPUBBLICA (1946)

Fantomax non crede alla democrazia, soprattutto non crede al suffragio universale. La democrazia, la scelta attraverso un voto, ha senso soltanto se chi la compie è persona matura e responsabile. L'organizzazione di Fantomax si perpetua attraverso la scelta democratica di un capo supremo, ma è una scelta che viene effettuata dal comitato reggente, i cui membri sono uomini selezionati sulla base dell'intelligenza e dell'indipendenza, e dei quali non si conosce né il numero né l'identità.

L'Italia è sempre stato un Paese che ha dato dei grattacapi a Fantomax. La popolazione italiana è infingarda, potenzialmente voltagabbana, serva di natura, sempre bisognosa di un uomo forte nel quale immedesimarsi fino all'adorazione.

Durante la Seconda Guerra Mondiale ha cambiato schieramento, giusto in tempo per salire sul carro dei vincitori. Ha osannato un dittatore imbelle ed è pronta a mantenere una dinastia regnante fra le peggiori d'Europa. Un popolo così non si merita niente, eppure Fantomax non può permettersi di seguire il proprio istinto, deve ragionare e ragiona.

Il 2 giugno del 1946, in Italia è indetto un referendum per scegliere fra la vecchia istituzione monarchica e una nuova repubblicana. Fantomax sa che le monarchie sono ormai dei residuati storici. Di contro le repubbliche, con la loro apparente liberalità, concedono maggiori spazi di manovra, soprattutto alle dinamiche che si fondano sul Male.

Fantomax conosce il popolo italiano, sa che alla fine voterà per conservare il re e la propria famiglia regnante, nonostante il comportamento tenuto negli anni della guerra. Fantomax sa però come manomettere i voti e realizza un broglio capace di invertire il risultato delle elezioni.

Alla conta dei voti, oltre dodici milioni e mezzo di italiani avranno votato per la repubblica, due milioni in più di quelli che si sono espressi per la monarchia. Senza l'intervento decisivo di Fantomax la monarchia avrebbe vinto per quasi cinquecentomila voti. Nelle moderne democrazie non vale il voto degli elettori ma il verbale di chi li conta: Fantomax non dimenticherà l'insegnamento del 2 giugno 1946 e realizzerà altri brogli colossali, come la prima elezione di George W. Bush a presidente degli Stati Uniti d'America, nel 2001.

CONNESSIONI

1. *Un breve filmato che mostra gli uomini di Fantomax sostituire i propri verbali a quelli ufficiali è disponibile sul server.*

2. *Alcuni verbali effettivi del referendum italiano sono conservati nell'antro di Nova Gorica (Slovenia).*

16. GUERRA ARABO-ISRAELIANA (1948)

Il secondo conflitto mondiale sembra aver sedato la voglia di guerra dell'umanità. Cinquantacinque milioni di morti, molti dei quali civili; armi sempre più devastanti come le bombe atomiche lanciate sul Giappone; tragedie umanitarie quali lo sterminio degli ebrei; costi economici altissimi che vanno a pesare sulle necessarie opere di ricostruzione: per l'uomo pare proprio il momento di prendersi una lunga pausa di riflessione, meditare sulla possibilità di un futuro non determinato dagli armamenti.

Fantomax conosce la debolezza degli esseri umani e sa quanto sia facile scatenare un conflitto, conosce il mondo meglio di qualsiasi altro e sa dove i combattimenti possono accendersi in meno di un minuto. La guerra ha modificato gli scenari, le grandi potenze sono ora gli Stati Uniti e l'Unione Sovietica. La vecchia Europa è uscita con le ossa rotte, le finanze allo sfacelo, le città da ripulire dalle macerie e far ritornare almeno com'erano prima dei bombardamenti. La tragedia dell'Olocausto ha però aggiunto un elemento di novità: gli ebrei vogliono uno Stato in Palestina e i loro futuri confinanti arabi non sono disposti a concederlo.

Fantomax ha tratto un'altra grande lezione dal conflitto mondiale: per vincere in guerra la potenza militare è importante, ma altrettanto utile è la strategia del combattimento. Pochi uomini, come nel caso di Leningrado, possono fermare un esercito ben più poderoso. La guerra può risolversi in guerriglia: la sorpresa e la velocità di azione sono in grado di imbrigliare qualsiasi potenza.

Fantomax insegna la guerriglia agli arabi che non vogliono cedere le loro terre agli ebrei. La guerra arabo-israeliana comincia così, con attentati, piccole scaramucce, offensive lampo. I palestinesi non dimenticheranno mai più la lezione di quei giorni.

Il 14 maggio 1948 gli Inglesi abbandonano il protettorato sui territori mediorientali. Gli ebrei proclamano immediatamente la nascita dello Stato di Israele. Truppe arabe provenienti da Egitto, Siria, Libano, Iraq e Transgiordania penetrano in Palestina. Gli scontri si accendono e la guerra torna a essere tale. Durerà neanche un anno, ma lascerà un segno sui decenni a venire. Ancora una volta Fantomax ha mostrato il Male e ha trovato allievi disciplinati, pronti ad accoglierne l'insegnamento.

CONNESSIONI

1. *Alcuni documentari nei quali i soldati di Fantomax insegnano le tattiche di guerriglia ai giovani arabi sono disponibili sul server.*

2. *Il cadavere mummificato della prima vittima israeliana di un attentato palestinese è conservato nell'antro di Chernobyl (Ucraina).*

17. JOSEPH McCARTHY
E IL MACCARTISMO (1950)

Fantomax è il nemico invisibile dell'umanità. Il giorno in cui si manifesterà in tutta la sua potenza sarà per prenderne possesso in via definitiva. Fantomax sa che sentirsi addosso il fiato di un nemico è una prerogativa dell'uomo. L'uomo non saprebbe vivere senza un nemico sul quale scaricare la ragione di tutte le sue paure, incertezze e incapacità. Fantomax è maestro nel trovare sempre nuovi nemici per l'uomo.

La fine della Seconda Guerra Mondiale ha diviso il mondo in due, da una parte il cosiddetto mondo libero, dall'altra quello dominato dall'ideologia comunista. Al mondo libero niente fa più paura del comunismo. I comunisti sono infidi, possono infiltrarsi dappertutto, nella politica come nelle grandi istituzioni finanziarie, nel mondo del lavoro come in quello dello spettacolo. Negli Stati Uniti un senatore repubblicano del Wisconsin, Joseph McCarthy, incarna più di ogni altro la paura del comunismo. Ha cominciato la sua opera verso la fine degli anni Quaranta, e per almeno un quinquennio scombussola la politica americana, incanalandola in prospettiva anticomunista.

Joseph McCarthy è un uomo di Fantomax, uno dei migliori allievi della sua sezione di scienze politiche. In poco tempo, grazie a una comunicativa fuori del comune, riesce a influenzare il lavoro dello stesso J. Edgar Hoover, il gran capo dell'FBI. La paura rossa dilaga: per licenziare un impiegato federale è sufficiente un ragionevole motivo di slealtà. Nessuno può sentirsi al sicuro, in qualsiasi ambiente, neppure nella Mecca del cinema. Hollywood paga il maccartismo più di ogni altra istituzione statunitense. Per liberarsi del sospetto, molti arrivano a denunciare i loro colleghi. Le inchieste toccano grandi personaggi come Elia Kazan, Charlie Chaplin, Arthur Miller, Marilyn Monroe e numerosi altri. Non pago, Joseph McCarthy comincia a lanciare accuse anche contro membri dell'esercito. È un fiume in piena, sa di doverlo essere. Il suo gioco non può durare a lungo ed è costretto ad alzare ogni volta l'obiettivo.

Nel 1954, le udienze dei processi cominciano a essere trasmesse in televisione. McCarthy appare troppo irruento e non piace agli spettatori. Nello stesso anno il Senato lo scredita per la conduzione delle inchieste sull'esercito.

Joseph McCarthy muore nel 1957 per una epatite causata dall'alcolismo. Pochi uomini come lui sono stati degni discepoli della causa di Fantomax.

CONNESSIONI

1. *Il filmato di una conversazione fra Fantomax e Joseph McCarthy è disponibile sul server. Per motivi evidenti il volto di Fantomax è reso irriconoscibile.*

2. *Il busto di Joseph McCarthy è conservato, insieme ad altri tre, nella stanza dei Grandi Eletti del Male, nell'antro di Chernobyl (Ucraina).*

18. LA BOMBA ALL'IDROGENO (1952)

Nel novembre del 1952 gli Stati Uniti d'America sperimentano la prima bomba H, ovvero una bomba a fusione termonucleare incontrollata. L'anno successivo è la volta dell'Unione Sovietica, alla quale man mano si aggiungeranno il Regno Unito, la Repubblica Popolare Cinese e la Francia.

La bomba H consiste in una bomba atomica posta da innesco all'interno di un contenitore di materiale fissile, insieme ad atomi leggeri. Quando esplode, la bomba atomica innesca la fusione termonucleare dei nuclei degli atomi leggeri, in un processo che provoca a sua volta la fissione nucleare di tutto quanto circonda l'esplosione.

Diversamente dalla bomba atomica semplice, per la quale è possibile limitare la potenza, la bomba H non possiede un massimo teorico, e forse per questo non è mai stata utilizzata per scopi bellici.

Fantomax ha condotto i primi esperimenti di bomba a fusione termonucleare incontrollata nel 1948. Un'equipe di giovani studiosi ha lavorato a lungo sugli appunti lasciati alla morte da Patrick Sermas. Come molte altre volte, Sermas precedeva la ricerca di almeno un lustro: arrivava sempre prima e ci arrivava meglio degli altri.

Nonostante i buoni successi ottenuti, Fantomax ha abbandonato i progetti di bomba a fusione prima ancora che gli Stati Uniti sperimentassero la loro. A Fantomax non servono armi che non si possano controllare fino in fondo, i suoi obiettivi risultano spesso circostanziati e per ottenerli sono sufficienti armi meno devastanti. Fantomax il mondo lo vuole comandare, non distruggere.

A ogni buon conto, una bomba H capace di liberare energia pari a 119 megatoni è conservata in un antro speciale di cui solo Fantomax conosce l'ubicazione. È montata su una rampa dalla quale può colpire con precisione assoluta ogni punto del globo. Si calcola che quella bomba sia oltre diecimila volte più potente di quella all'uranio che gli Stati Uniti hanno lanciato su Hiroshima. Fantomax la userà solo in mancanza di alternative, a costo di spazzare via interi territori dalla geografia del pianeta.

CONNESSIONI

1. *Il filmato che documenta le fasi di preparazione della prima bomba H di Fantomax è disponibile sul server.*

2. *L'insieme degli appunti lasciati alla morte da Patrick Sermas è conservato in copia in ognuno degli antri del pianeta. Gli originali sono custoditi nell'antro di Amphoe Palian (Thailandia).*

19. IL PATTO DI VARSAVIA (1955)

Il 14 maggio 1955, a Varsavia, è firmato l'omonimo Patto, alleanza militare che i Paesi del blocco sovietico finalmente oppongono alla equivalente coalizione degli stati occidentali, la Nato, operativa sin dal 1949. Il Patto di Varsavia passa alla storia come una elaborazione di Nikita Kruscev, in realtà è concepito e scritto da Fantomax in persona.

L'ideazione del Patto di Varsavia è forse la più lungimirante geometria politica scaturita dalla mente di Fantomax. In sé l'alleanza vuol dire poco, è implicita nei fatti anche se mai formalmente sottoscritta. I Paesi aderenti (Albania, che uscirà negli anni Sessanta per seguire l'orbita cinese, Bulgaria, Cecoslovacchia, Germania Est, Polonia, Romania, Ungheria e Unione sovietica) costituiscono già un blocco granitico coordinato dai rispettivi Partiti comunisti, i quali ubbidiscono alle direttive del Pcus, il partito sovrano dell'Urss. La sottoscrizione dell'impegno militare non fa altro che decretare la predominanza dell'Unione sovietica sui Paesi membri, aspetto anche questo già in essere. Del resto, il Patto non avrà grandi occasioni per mettersi in mostra, se si escludono le periodiche parate e gli interventi militari per sedare il tentativo rivoluzionario in Ungheria del 1956, e la cosiddetta Primavera di Praga del 1968.

Perché allora Fantomax ha tanto lavorato perché si sancisse ufficialmente una situazione di fatto? La risposta va cercata nel futuro, quaranta e passa anni dopo, quando il comunismo comincerà a scricchiolare e poi vacillerà sotto i colpi delle multinazionali, del Vaticano, delle criminalità organizzate e dello stesso Fantomax, che vede maturi i tempi per un cambiamento radicale della geografia europea.

I Paesi del Patto di Varsavia si presenteranno sfiniti all'appuntamento con il loro destino. Da un lato i Sovietici li hanno prosciugati di ogni energia, impoverendoli fino alla consunzione. Dall'altro gli stessi Sovietici hanno ottusamente creduto che le riserve dei Paesi satelliti fossero inesauribili, e quindi si sono trovati anche loro nella stessa situazione, pronti a dissolversi davanti a nemici mai dichiarati ma decisi a tutto pur di vincere la partita. Il Patto di Varsavia, insomma, non è stato altro che un grande bluff di Fantomax, far credere che l'unione desse forza, e che questa forza traesse linfa inesauribile dall'unione.

CONNESSIONI

1. *La registrazione audio di un colloquio fra Fantomax e Nikita Kruscev è disponibile sul server. È possibile ascoltare più volte Kruscev ringraziare Fantomax per i servizi resi alla causa del comunismo.*

2. *Il documento originale del Patto di Varsavia firmato dai rappresentanti di ogni Paese è custodito nell'antro di Chernobyl (Ucraina).*

20. FANTOMAX NELLO SPAZIO (1957)

Il 4 ottobre 1957, dal cosmodromo di Baikonur i sovietici indirizzano nello spazio lo Sputnik 1. La fantascienza sembra di colpo diventata realtà, una parte di mondo esulta, l'altra trema. La tecnologia alla base del lancio è la stessa utilizzata dall'esercito tedesco per i missili V2. Con la messa in orbita dello Sputnik, i sovietici anticipano l'analogo programma degli Stati Uniti, che soltanto l'anno successivo riusciranno a inviare nello spazio il loro Explorer 1.

Né i sovietici, né gli americani sanno che già dal 1955 Fantomax ha avviato i propri progetti spaziali, lanciando uno dopo l'altro gli Houston 1, 2 e 3, nome scelto in onore di uno dei tre soci fondatori di Fantomax, il texano Raymond Houston. Anche Fantomax ha lavorato a partire dai V2 tedeschi, intuendo prima dei sovietici la possibilità di trasformare i missili militari in vettori per il lancio di satelliti. Che una delle principali infrastrutture della statunitense Amministrazione nazionale dell'aeronautica e dello spazio (NASA) sia dislocata proprio nella città di Houston può apparire una coincidenza fortuita soltanto alle anime più innocenti.

Il successo dei lanci e il continuo lavoro di ingegneri aerospaziali permettono a Fantomax di anticipare costantemente i progressi di sovietici e americani nell'esplorazione dello spazio. La Seconda Guerra Mondiale ha dimostrato che il predominio dei cieli è l'arma più potente per indebolire il nemico. Fantomax sa che in futuro la supremazia dello spazio assicurerà anche quella sulla terra, e costituirà una fenomenale arma per tenere sotto scacco il pianeta.

Il 20 luglio 1969, quando Neil Armstrong mette piede sulla luna, non può minimamente sospettare di essere a pochi chilometri di distanza dall'antro lunare di Fantomax, uno spazio di un centinaio di metri quadri, sotterraneo e perfettamente camuffato in superficie. Nell'antro, tre scienziati di Fantomax sorridono alla vista dei movimenti impacciati del cosmonauta statunitense, ma sorridono soprattutto perché sanno che da lì a pochi mesi abbandoneranno l'antro e le sue disagevoli condizioni di vita. La ricerca di Fantomax si è ormai talmente evoluta che può fare a meno di una base fissa, a tutto vantaggio delle piccole stazioni orbitali che saranno lanciate a breve, e gli assicureranno il predominio spaziale almeno per i successivi cinquant'anni.

CONNESSIONI

1. *Le riprese dei lanci degli Houston 1, 2 e 3 sono disponibili sul server, così come due brevi documentari sulla costruzione dell'antro lunare e sul primo lancio di una stazione orbitante.*

2. *I primi reperti di rocce lunari, raccolti nel 1963, sono conservati nell'antro di Isla Genovesa, Galapagos, Ecuador.*

21. IL TERREMOTO IN CILE (1960)

Alla morte di Patrick Sermas, i suoi allievi proseguono gli studi sui numerosi appunti dedicati alle attività telluriche. Fantomax sa che controllare i movimenti del sottosuolo significa assoggettare il mondo intero alla sua minaccia.

Il 22 maggio 1960, vicino a Valdivia, una città del Cile meridionale, Fantomax scatena un terremoto di potenza sconosciuta. Sono le diciannove e undici minuti, la terra comincia a saltare su se stessa, come in preda alle convulsioni. La magnitudo è la più alta mai registrata nella storia dell'umanità: 9,5 gradi della scala Richter. Il sisma è avvertito in una bella fetta di pianeta e avvia uno tsunami che interessa le isole Hawaii e persino il Giappone. Le onde telluriche scuotono il vulcano Puyehue e provocano un'eruzione che ridisegna la cartografia dei luoghi. Per oltre un mese e mezzo lo sciame sismico colpisce gran parte del Cile meridionale. Nel suo complesso il disastro provoca oltre tremila morti, più di due milioni di sfollati e incalcolabili danni all'economia del Paese. Fantomax è molto soddisfatto dell'esperimento cileno. Se avesse scatenato la stessa forza in una zona densamente popolata, ne sarebbe scaturita un'ecatombe. Da allora in poi, numerosi sono stati i terremoti provocati da Fantomax, tutti sperimentali, tutti per affinare la tecnologia inventata da Patrick Sermas. Il vecchio percussore era stato messo in pensione a tutto vantaggio di onde sonore capaci di infiltrarsi nelle faglie rocciose e di provocarne il movimento, sia ondulatorio che sussultorio.

Nonostante gli ottimi risultati conseguiti, Fantomax non ha ancora usato il terremoto come arma di distruzione diretta dei propri nemici. I suoi ingegneri e i suoi geologi continuano a studiare una soluzione al problema davanti al quale sinora si sono dovuti arrendere: fermare il movimento dopo la prima scossa, ovvero evitare che lo sciame sismico vada a compiere danni anche dove non sarebbero previsti.

I percussori e gli uomini che li comandano sono comunque pronti, in grado di produrre scosse terrificanti con un preavviso di appena trentasei ore. Quando Fantomax vorrà, il mondo comincerà a tremare.

CONNESSIONI

1. *La mappa tellurica del pianeta, realizzata dai sismologi di Fantomax, è disponibile sul server.*

2. *La documentazione del terremoto in Cile è archiviata nell'antro di Chicago (Illinois, Usa). Il percussore a onde sonore usato nell'occasione è andato perduto a causa della potenza stessa del sisma prodotto.*

22. LA MORTE DI ENRICO MATTEI (1962)

Il governo del mondo è sempre stato l'obiettivo di Fantomax, il potere sull'umanità attraverso l'esercizio del Male. È un obiettivo che va perseguito con lentezza, costruendo giorno dopo giorno le impalcature più solide per avvicinarlo. Occorre una sorta di onniscienza, nessun settore della vita politica e sociale va trascurato. Se c'è qualcuno da aiutare lo si deve fare, se c'è qualcun altro da fermare, non bisogna avere scrupoli. In Italia un certo Enrico Mattei, incaricato dal governo di smantellare l'azienda petrolifera creata sotto il regime fascista, disobbedisce alle finalità delle sue mansioni: non solo non smantella l'Agip ma la riorganizza e la fa diventare l'asse decisivo della nuova azienda che lui stesso crea: l'Eni. Quello che sembra un gioco delle tre carte tipicamente italiano non lo è affatto, almeno non questa volta.

Mattei si muove con obiettivi precisi, stipula accordi con l'Unione sovietica e alcuni Paesi del Medio Oriente, rompe di fatto l'oligopolio detenuto finora dalle "sette sorelle" che dominano la produzione petrolifera mondiale. Mattei si muove anche sul territorio nazionale, perfora il suolo e trova petrolio e gas, costruisce gasdotti, apre all'idea di costruire centrali nucleari.

Fantomax segue con attenzione tutto quello che fa Mattei, prova simpatia per quell'uomo che sa lanciare le sfide giuste. Tenta di avvicinarlo, ma ne percepisce in modo chiaro e inequivocabile l'onestà, la dedizione al concetto di bene. Quando Mattei riesce a far introdurre il principio secondo il quale i Paesi proprietari dei giacimenti devono ricevere il settantacinque per cento dei profitti derivati dallo sfruttamento, Fantomax capisce che quell'uomo corre troppo, è largamente in anticipo sui tempi. La sua rivoluzione sarebbe di portata incalcolabile, il mondo non è ancora pronto a recepire le sue idee.

Fantomax, che ha intanto elaborato progetti di trasformazione della società in senso a lui favorevole, decide di fermare Mattei. Il 27 ottobre 1962, a Bascapé, l'aereo sul quale vola Mattei precipita: sembra un incidente ma è un omicidio.

CONNESSIONI

1. *Un documento filmato nel quale si vede Fantomax in abiti civili assistere a una conferenza di Enrico Mattei è disponibile sul server. Per motivi evidenti il volto di Fantomax è reso irriconoscibile.*

2. *Un frammento dell'ala dell'aereo sul quale volava Enrico Mattei il giorno dell'incidente è conservato nell'antro di Parigi.*

23. DIABOLIK E LA MINIGONNA DI MARY QUANT (1962)

Nel 1962, in Italia, esce il primo numero di un fumetto destinato a far parlare molto di sé: Diabolik. In sostanza si tratta di un calco imbarazzante dei romanzi di Fantomas, quelli che Léo Courteneuve aveva commissionato a Pierre Souvestre e Marcel Allain. Fantomax, sempre attento alle forme popolari d'intrattenimento, capisce che fumetti di quel tipo possono essere di grande utilità. Sovvenziona alcuni editori perché realizzino altri personaggi capaci di diventare altrettanti simboli del Male. Il successo è strepitoso: milioni di ragazzi che sarebbero cresciuti leggendo storie di eroi positivi si dedicano invece a letture controcorrente, imparano a conoscere il Male e le sue seduzioni.

Fantomax ha bisogno di gioventù libera, spigliata, lontana dalle chiese religiose e ideologiche. Sovvenziona l'industria musicale perché produca canzoni sempre più disinibite, che facciano ballare e inducano a comportamenti in contrasto con la moralità dell'epoca. I fumetti e la musica non bastano. Anche la maniera di vestire ha la sua importanza. Occorre che i giovani si liberino dei modi di essere dei loro padri e delle loro madri. Nel 1965, Fantomax lancia una giovane stilista inglese, Mary Quant, che con la sua minigonna dà una ulteriore spallata al perbenismo cattolico e comunista. Fantomax aspira alla creazione di una borghesia liberale, aperta al futuro, contestatrice dei valori tradizionali, capace di imprimere un'accelerazione al corso della storia. Sono proprio i giovani cresciuti leggendo i fumetti neri, ascoltando la musica beat e vestendo in modo spigliato a diventare i capifila della contestazione del 1968. Fantomax non si accontenta, sovvenziona anche gruppi di giovani che si radunano intorno agli ideali anticapitalisti. Nello stesso tempo si accorda con alcuni cartelli criminali perché riforniscano il mercato di droghe leggere a basso prezzo. Il brodo di coltura dà i risultati previsti. Il mondo subisce una scossa dalla quale non si riprenderà più: tutti i vecchi valori sintetizzati nella triade dio-patria-famiglia si sgretolano. Il Male diventa un'opzione praticabile, e quando quei giovani diventeranno classe dirigente si capirà come l'investimento di Fantomax sia stato redditizio.

CONNESSIONI

1. *Un documentario nel quale si vede Fantomax a un concerto dei Rolling Stones mentre accompagna con il capo le note di* Sympathy for the Devil *è disponibile in rete. Per motivi evidenti il volto di Fantomax è reso irriconoscibile.*

2. *Il modello della prima minigonna disegnata da Mary Quant, ma ispirata dallo stesso Fantomax, è conservato nell'antro di Amphoe Palian (Thailandia).*

24. L'ASSASSINIO DI KENNEDY (1963)

L'assassinio del presidente degli Stati Uniti John Fitzgerald Kennedy è stato l'errore più clamoroso commesso da Fantomax nel corso della sua storia.

A Dallas, il 22 novembre 1963 avrebbe dovuto morire Jacqueline Bouvier, la moglie di Kennedy. Un errore del cecchino ingaggiato per l'esecuzione ha rovinato il piano di Fantomax e scatenato una serie di teorie cospirazioniste che niente avevano a che fare con il progetto originario. Lo stesso assassinio ha dato lustro all'immagine di un uomo tutto sommato mediocre, innalzandolo a figura imprescindibile della storia umana.

Fantomax aveva individuato in Kennedy, nel suo stato di salute estremamente problematico, nella sua vita privata spesso disinvolta e contraddittoria, nella sua politica estera aggressiva ma piena di incertezze, nella sua politica interna altalenante, un presidente innocuo e facilmente ricattabile. Eliminarne la moglie, sua principale consigliera, nonché unico elemento di stabilità all'interno di una vita incostante, avrebbe spianato la strada ai ricatti, tanto più che a Fantomax non sfuggiva nessuna delle debolezze dell'uomo e del presidente, a partire dal fascino irresistibile che su di lui esercitava la bellezza femminile.

Tom Palahniuk, il cecchino scelto da Fantomax per uccidere la moglie di Kennedy, era un tiratore eccezionale: non aveva mai sbagliato un colpo in vita sua. Le giustificazioni che produrrà per spiegare il proprio fallimento appariranno infantili e prive di logica. Fantomax arriverà a sospettare Palahniuk di doppiogiochismo, ma nessun elemento decisivo suffragherà mai il sospetto.

Cinque anni dopo l'errore di Dallas, Fantomax sarà costretto a uccidere il fratello di John Fitzgerald, Robert: la famiglia Kennedy stava diventando il simbolo di valori ipocriti che cominciavano a godere di troppo credito sia nazionale che internazionale. L'omicidio di Robert Kennedy risulterà perfetto per esecuzione e preparazione, comprese le ombre appositamente lasciate da Fantomax per far credere all'ennesimo complotto, materia che appassiona gli statunitensi come le finali di certe gare sportive.

CONNESSIONI

1. *Il filmato dell'esecuzione di Tom Palahniuk, il cecchino che ha ucciso Kennedy per errore, è disponibile sul server.*

2. *Il fucile utilizzato da Tom Palahniuk, un M21, in pratica un M14 provvisto di cannocchiale Leatherwood, è custodito nell'antro di Chernobyl (Ucraina).*

IN EXCELSIS
FAN
TO
MAX

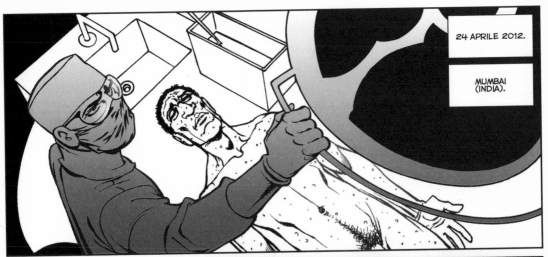

24 APRILE 2012.

MUMBAI
(INDIA).

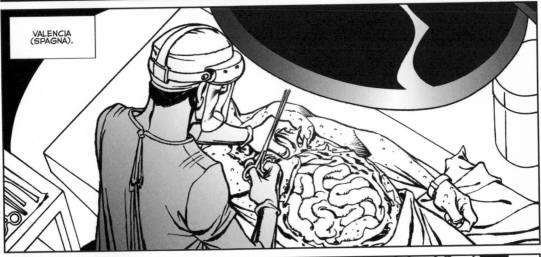

VALENCIA
(SPAGNA).

MISSOULA
(MONTANA,
STATI UNITI
D'AMERICA).

ASTANA
(KAZAKISTAN)
29 APRILE 2012.

PIÙ DI CINQUECENTO REFERTI, TUTTI CONCORDANTI. IL NUOVO VIRUS STA FACENDO UN'ECATOMBE. GIÀ DUECENTOMILA MORTI IN TUTTO IL MONDO.

SE NON FOSSE IMPOSSIBILE, VERREBBE DA PENSARE CHE SOTTO CI SIA LO ZAMPINO DI FANTOMAX.

NON MI PARLI DI FANTOMAX. LE AVEVO DETTO CHE VOLEVO TORCERGLI IL COLLO PERSONALMENTE. ALMENO COSÌ AVREI GARANTITO IL RISULTATO.

DUBITO CHE LE SUE DITA ABBIANO LA FORZA DI ALTRETTANTI CHILOTONI...

SE È VENUTO QUI PER FARE LO SPIRITOSO, L'AVVERTO CHE NON È GIORNATA.

SONO VENUTO PERCHÉ HO UN INCARICO DA DARLE.

E QUALE SAREBBE QUEST'INCARICO?

RITROVARE THOMAS COURTENEUVE.

152

153

MONASTERO DI KEY, SPITI VALLEY, INDIA, 29 APRILE 2012.

"BEL POSTO, BELLE PASSEGGIATE, MA MI SENTO LO STESSO UN PO' RIDICOLO."

"NON È QUESTO IL MIO MONDO. LA MIA VITA È FRA LA GENTE."

"E POI LO SENTO DA QUI CHE FANTOMAX È TORNATO. LA NUOVA PESTILENZA DI CUI TUTTI PARLANO È OPERA SUA."

ECCELLENTE, HALLER, QUANTO GUADAGNANO LE PANOPLIS?

IL 200%. CREDO CHE A FINE GIORNATA AVRANNO QUINTUPLICATO IL LORO VALORE.

...UNA CIFRA SPAVENTOSA.

CHERNOBYL, UCRAINA, 29 APRILE 2012.

DOMANI COMINCIA A VENDERE QUANTITÀ MODESTE OGNI GIORNO. IL MERCATO NON SE NE DEVE NEPPURE ACCORGERE.

POSSO FARCELA, PER UNA SETTIMANA, DIECI GIORNI AL MASSIMO. IL MIO PREDECESSORE, BREITNER, CON IL QUALE ERO IN CONTATTO QUOTIDIANO, MI HA INSEGNATO COME FARE.

BUONGIORNO, DE VRIES, CON LEI PARLERÒ PIÙ TARDI.

A QUEL PUNTO VENDI FINO IN FONDO, HALLER, E COMPRA TUTTO IL PETROLIFERO CHE TROVI, MEGLIO SE AMERICANO O INGLESE.

ALLORA, DE VRIES, MI RACCONTI COS'È SUCCESSO.

SIA FATTA LA VOLONTÀ DI FANTOMAX.

LO AVEVAMO LOCALIZZATO. STAVAMO SALENDO CON UN FUORISTRADA. IL PERCORSO ERA ACCIDENTATO MA CE L'AVREMMO FATTA, QUANDO È SPUNTATO UN ELICOTTERO CHE CE L'HA SOTTRATTO DA SOTTO GLI OCCHI.

DE VRIES, LE HANNO MAI SPIEGATO CHE PER RAPIRE UN UOMO IN MONTAGNA L'ELICOTTERO È MEGLIO DI UN FUORISTRADA?

ESEGUITE.

LA SCALATA ALLA PANOPLIS È COMINCIATA A METÀ FEBBRAIO E SI È CONCLUSA POCO MENO DI UN MESE FA CON LA NOMINA DEL NUOVO AMMINISTRATORE DELEGATO, JEAN CARRÈRE, UN UOMO DI FANTOMAX.

ASTANA (KAZAKISTAN) 2 MAGGIO 2012.

LA NOMINA DI CARRÈRE HA COINCISO CON LA DIFFUSIONE DEL VIRUS, UNA COLTURA CHE FANTOMAX DOVEVA AVERE PRONTA DA TEMPO, COSÌ COME AVEVA PRONTO IL VACCINO. RISULTATO: DUE MILIONI DI MORTI E GUADAGNI STRATOSFERICI.

NIENTE MALE PER QUALCUNO CHE MI AVEVATE ASSICURATO DI AVERE SEPPELLITO SOTTO NON SO QUANTI CHILOTONI.

NON SO PROPRIO COSA POSSA ESSERE SUCCESSO.

TE LO DICO IO COS'È SUCCESSO. HAI PRESENTE LA BASE DI FANTOMAX SOTTO LA SENNA? HO FATTO FARE RICERCHE. C'ERA UN TUNNEL CHE PORTAVA FUORI PARIGI. PER LA PRECISIONE ARRIVAVA FINO A BEAUVAL, NEL BUCO DI CULO DELLA PICCARDIA...

"...DOVE PROPRIO QUEL GIORNO, HANNO VISTO UN ELICOTTERO ALZARSI. DIREZIONE BRUXELLES. E ANCORA: IL VOLO BRUXELLES-KIEV AVEVA A BORDO UN UOMO E UNA DONNA CON DOCUMENTI CHE NON COMBINANO CON NESSUNA ANAGRAFE AL MONDO."

UNA DONNA?!?

UNA DONNA?!?

GIÀ, PER QUANTO NE SAPPIAMO, IL VOSTRO FANTOMAX POTREBBE ESSERE UNA DONNA. E C'È DELL'ALTRO...

159

C'ERA QUALCUN ALTRO CHE TI VOLEVA PRENDERE QUEL GIORNO, COURTENEUVE. QUALCUNO DI COSÌ IDIOTA DA PENSARE DI PRELEVARTI CON UN FUORISTRADA.

MA CHI PUÒ ESSERE?

FANTOMAX, CHI ALTRI? PER LA PRECISIONE IL TIZIO ALLA GUIDA È UN CERTO IAPP DE VRIES, UN LESTOFANTE OLANDESE CHE SI È DATO ALLA MACCHIA SEI O SETTE ANNI FA. DI SICURO UN UOMO DI FANTOMAX.

QUINDI FANTOMAX SA CHE IO ESISTO...

SEI FESSO SE CREDI CHE FANTOMAX IGNORASSE LA TUA ESISTENZA. SEI PERSINO PENETRATO NELLA SUA BASE...

ADESSO PERÒ SAPPIAMO UNA COSA NUOVA: FANTOMAX DÀ LA CACCIA A THOMAS COURTENEUVE.

PROPRIO COSÌ. E STAVOLTA PRENDO IO IL COMANDO. NEL CASO USEREMO COURTENEUVE COME ESCA PER ARRIVARE A FANTOMAX.

QUALCUNO HA QUALCOSA IN CONTRARIO?

160

CHERNOBYL,
UCRAINA,
3 MAGGIO 2012.

CARRÈRE NON
È AFFIDABILE.
TROPPO ANSIOSO.

NON IMPORTA. FRA UN
PAIO DI SETTIMANE
NON SERVIRÀ PIÙ. FAI
IN MODO CHE SIA
ELIMINATO.
UN SUICIDIO, DIREI.

MI SONO SENTITA SOLA SENZA DI TE.
DEVO ANCORA ABITUARMI A QUESTO NUOVO
ANTRO. ANCHE SE È SOSTANZIALMENTE
IDENTICO A QUELLO DI PARIGI.

"LE DIFFERENZE SONO MINIME, IN
EFFETTI. I COSTRUTTORI HANNO
DOVUTO TENER CONTO DELLE
STESSE ESIGENZE. A PARIGI
ERAVAMO SOTT'ACQUA. QUI SOTTO
UN SITO CHE AVREMMO FATTO
DIVENTARE UN INFERNO."

È STATO REALIZZATO PRIMA
L'ANTRO O LA CENTRALE?
NON HO TROVATO QUESTO
DATO DA NESSUNA PARTE.

SONO STATI COSTRUITI INSIEME.
È STATO L'ULTIMO PROGETTO DI UN
FISICO ITALIANO, ETTORE MAJORANA,
CHE HA FATTO MOLTO PER FANTOMAX.

UN PROGETTO GENIALE,
UNA COPERTURA
PERFETTA. A NESSUNO
VERREBBE IN MENTE
DI CERCARCI QUI.

A PROPOSITO, DEVI
DARE ORDINE DI
COSTRUIRE UN NUOVO
ANTRO BASE. CE N'È
UN ALTRO PRONTO,
MA BISOGNA PENSARE
A UNA ULTERIORE
RISERVA. HAI IDEE?

161

"IN TASMANIA. LE MEDUSE IMPEDISCONO L'ACCESSO VIA MARE. GLI ABITANTI SONO TUTTI MORTI PER IL VIRUS CHE LI ABBIAMO SPARSO IN MODO MASSICCIO. CI BASTERÀ CREARE UNO SCUDO SPAZIALE E DIVENTERÀ INACCESSIBILE A CHIUNQUE."

OTTIMA IDEA, ANCHE SE LA TASMANIA È LONTANA DA TUTTO.

NEL MONDO CHE STIAMO COSTRUENDO LE DISTANZE NON SARANNO UN PROBLEMA.

SIA FATTA LA VOLONTÀ DI FANTOMAX.

CHI È IL TIPO ALLE SPALLE DELL'AMMINISTRATORE DELEGATO?

LA FACCIA NON MI È NUOVA. ESEGUO LA RICERCA.

LO DICEVO IO. CORRISPONDE IN PIENO ALLA DESCRIZIONE DELL'UOMO SFUGGITO ALL'ATTACCO DI PARIGI ATTRAVERSO IL CONDOTTO SOTTERRANEO.

DIFFICILE PENSARE CHE FANTOMAX PARTECIPI A VOLTO SCOPERTO A UNA CONFERENZA STAMPA.

QUINDI NON CI SONO PIÙ DUBBI: È LA DONNA. FANTOMAX È UNA DONNA.

162

IL VIRUS STA UCCIDENDO A GRANDE VELOCITÀ. UCCIDERÀ ANCORA ANCHE SE ABBIAMO COMINCIATO A FERMARLO. LE STIME CHE ABBIAMO DIFFUSO SONO OTTIMISTICHE. ALLA FINE CI SARANNO ALMENO DIECI MILIONI DI MORTI.

"GLI ANIMALI GENETICAMENTE MODIFICATI STANNO OPERANDO BENE. LE COLLINE SI STANNO SPOPOLANDO. GLI ABITANTI ANDRANNO A VIVERE IN CITTÀ. IL VIRUS HA LIBERATO UN SACCO DI APPARTAMENTI."

"ANCHE NEI PAESI E NELLE CITTADELLE VICINE AI FIUMI I RESIDENTI SE NE STANNO ANDANDO. STIAMO REALIZZANDO LA PIÙ GIGANTESCA MIGRAZIONE CHE L'UMANITÀ ABBIA MAI CONOSCIUTO."

UNO L'HA COMMESSO.

E SAREBBE?

SAPPIAMO CHE È ARRIVATO A KIEV, SAPPIAMO L'ORA. DA LÌ DOBBIAMO RIPARTIRE A CERCARLO.

GIÀ FATTO. NON VI HO DETTO NIENTE PERCHÉ VOLEVO ASSICURARMI DI LAVORARE CON GENTE CON ALMENO UN BRICIOLO DI CERVELLO.

E ALLORA?

HANNO PRESO UN ALTRO ELICOTTERO. HO LE FOTO SATELLITARI DI TUTTO IL VIAGGIO. NON INDOVINERESTE MAI DOVE SONO ATTERRATI...

ESATTAMENTE QUI.

CHERNOBYL?

CHERNOBYL...

166

PARIGI
(FRANCIA)
24 SETTEMBRE 2008.

È ARRIVATO.

ERA ORA, NON NE POTEVO PIÙ DI TUTTA QUESTA POLVERE.

DRRR

THOMAS COURTENEUVE SUPPONGO. SI ACCOMODI.

MI SCUSI, LEI CHI È, E PERCHÉ MI HA INVITATO QUI?

MI PAGANO PER ACCOGLIERLA, NON PER RISPONDERE ALLE SUE DOMANDE.

DEVO SOLO DIRLE CHE QUESTA ERA LA CASA DEL SUO BISNONNO, E CHE QUELLO CHE LA RIGUARDA STA AL PIANO SUPERIORE.

MISSIONE COMPIUTA.

STIA A DISPOSIZIONE, POTREMMO RICHIAMARLA PRESTO.

"MAI SENTITO UN'ARIA COSÌ DI CHIUSO, MA FORSE È SOLTANTO L'ODORE DEI MOBILI E DEI LIBRI, È COSÌ PENETRANTE CHE MI SONO DIMENTICATO DI CORTEGGIARE LA BIONDA."

"MA FORSE ANCHE INDIANA JONES NON SI SAREBBE LASCIATO DISTRARRE. C'È UN MISTERO IN QUESTA CASA, ANDIAMO A SCOPRIRLO."

CHERNOBYL,
UCRAINA,
3 MAGGIO 2012.

"STA ANDANDO TUTTO ALLA PERFEZIONE. IL MIO PIANO È PERFETTO. NESSUN FANTOMAX HA MAI OSATO TANTO."

"MA SONO NERVOSA. DORMO MALE E FACCIO SOGNI CHE MI AVVELENANO IL RISVEGLIO."

"SONO LA DONNA PIÙ POTENTE DEL MONDO E PRIMA DI ANDARE A DORMIRE MI BEVO UNA TISANA COME UNA FEMMINA QUALSIASI."

"PAZZESCO. FANTOMAX È UNA ORGANIZZAZIONE. E UNO DEI SUOI TRE CREATORI ERA MIO BISNONNO."

"MA IO COSA C'ENTRO IN TUTTO QUESTO?"

IL NOSTRO UOMO È INQUIETO.

LO SAREMMO TUTTI DOPO AVER LETTO CERTE COSE.

E QUESTE COSA SONO?

CHE CI FANNO QUI I PASTORELLI DI FATIMA?

"ASSURDO."

"INCREDIBILE, NON C'È AVVENIMENTO STORICO DI RILIEVO NEL QUALE FANTOMAX NON SIA INTERVENUTO."

"MA IO CHE C'ENTRO? PERCHÉ DEVO SAPERE QUESTE COSE. E, SOPRATTUTTO, CHI È CHE HA VOLUTO FARMELE SAPERE?"

FORSE QUI TROVERÒ LA RISPOSTA.

E QUESTI A CHE SERVIRANNO?

"ADESSO SAI, ADESSO PUOI ANDARE."

maintenant que tu sois, tu peux t'en aller

"ASSURDO. FANTOMAX SI NASCONDE SOTTO LA SENNA."

"IL RESTO SONO LIBRI ANTICHI E MAPPAMONDI. VARRANNO UNA FORTUNA. SE ESCO NON POTRÒ RIENTRARE, MA NON POSSO CERTO PASSARE IL RESTO DELLA MIA VITA QUI DENTRO."

"HO IDEA CHE SE DEVE ACCADERE QUALCOSA ACCADRÀ ADESSO."

THOMAS COURTENEUVE, LA PREGO DI SEGUIRMI.

PERCHÉ DOVREI?

PERCHÉ APPARTENGO ALLA STORIA CHE HA APPENA CONOSCIUTO.

HA PRESO I GUANTI?

SÌ, ANCHE SE NON SO A COSA MI SERVIRANNO.

STIAMO PER SCOPRIRLO. LI INDOSSI.

CI SONO DUE UOMINI AL MONDO CAPACI DI FAR FUNZIONARE QUESTO ASCENSORE. IL CUSTODE DI FANTOMAX E LEI, THOMAS COURTENEUVE. LEI E LE SUE DITA GUANTATE.

PERCHÉ IO?

LO SAPRÀ PRESTO.

VVVVVVRRRR

CHE SIGNIFICA, PERCHÉ CI FERMIAMO?

VVVVVVRRR

VOLEVO SOLO ASSICURARMI CHE I GUANTI FUNZIONASSERO.

ADESSO TORNIAMO SU.

SCENDERÀ NELL'ANTRO DI FANTOMAX DA SOLO, QUANDO SARÀ PRONTO.

SEMBRA POSSEDERE UN FISICO INVIDIABILE, THOMAS COURTENEUVE. DEL RESTO NON AVEVAMO DUBBI.

TROPPI MISTERI. SI PUÒ SAPERE CHI È LEI E COSA VUOLE DA ME?

LO SCOPRIRÀ PRESTO.

VENGA. C'È UN ULTIMO DETTAGLIO.

È SOLO UN PICCOLO TATUAGGIO. NON SENTIRÀ MALE. E NON CERCHI DI GUARDARSELO, NON VEDREBBE NIENTE. COMPARIRÀ AL MOMENTO OPPORTUNO.

IL MIO COMPITO È TERMINATO. QUESTE SONO LE CHIAVI DI UN APPARTAMENTO DOVE TROVERÀ LE RISPOSTE CHE CERCA. L'INDIRIZZO È SULLA TARGHETTA. ADDIO, THOMAS COURTENEUVE.

"27, RUE DAUPHINE."

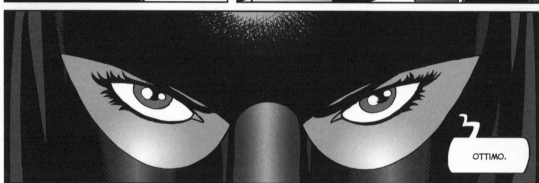

181

VOI NON VALETE UN FICO SECCO. NESSUNO CHE SI SIA CHIESTO COME FANNO GLI UOMINI DI FANTOMAX A ENTRARE E USCIRE DAL RIFUGIO DI CHERNOBYL? A PARIGI USAVANO L'ASCENSORE DELLA METROPOLITANA. MA A CHERNOBYL? È LA PRIMA COSA CHE AVRESTE DOVUTO CHIEDERVI...

ANTRO. SI CHIAMA ANTRO NON RIFUGIO.

NON ME NE FREGA UN CAZZO DI COME SI CHIAMA. MI FREGA SAPERE COME ENTRARCI.

GIÀ, COME?

HO ESAMINATO LE FOTO SATELLITARI DELLA VECCHIA CENTRALE NUCLEARE SENZA TROVARE NULLA. POI HO SCOVATO UN SITO A OTTO CHILOMETRI DI DISTANZA. NELLA ZONA PIÙ CONTAMINATA.

"HANNO FATTO LE COSE IN GRANDE, UN ELIPORTO SOTTERRANEO, PRESUMO DOTATO DI TUTTE LE TECNICHE DI BONIFICA CONTRO LE RADIAZIONI."

E NOI COME FACCIAMO A ENTRARE LÌ?

NON SERVE ENTRARE. BASTA CHIUDERE IL BUCO E CHI È FUORI È FUORI E CHI È DENTRO È DENTRO.

AVRANNO DI SICURO UN'ALTRA VIA DI FUGA. NON SAPREMO MAI SE FANTOMAX È MORTO OPPURE NO.

SE HANNO REPLICATO IL MODELLO DI PARIGI, UNA VIA DI FUGA C'È SICURAMENTE, MA SOLO PER FANTOMAX E IL SUO ANGELO CUSTODE. TERREMO MONITORATA LA ZONA E LI SCOPRIREMO.

POTREBBERO VOLERCI ANNI.

L'IDEA È ECCELLENTE. HA UN SOLO DIFETTO: NEL FRATTEMPO FANTOMAX CONTINUERÀ A FARE IL BELLO E CATTIVO TEMPO. E NOI NON POSSIAMO PERMETTERCELO.

IO NON HO FRETTA. VOI SÌ?

QUEL MOSTRO STA RIDISEGNANDO LA CARTA GEOGRAFICA DEL MONDO!

SE AVETE IDEE MIGLIORI, VENITE A DIRMELE. IO INTANTO PROCEDO CON L'ATTACCO.

ATTENZIONE A UNA COSA, PERÒ. FANTOMAX POTREBBE ESSERE GIÀ USCITO PER VENIRCI A PRENDERE. PER PRENDERE NOI.

SAN FRANCISCO, CALIFORNIA, 13 MAGGIO 2012.

LOS ANGELES, CALIFORNIA, 13 MAGGIO 2012.

"QUELLO CHE SI TEMEVA DA DECENNI È AVVENUTO. IL BIG ONE. LA FAGLIA DI SANT'ANDREA È STATA PERCORSA DA UN TERREMOTO DI INTENSITÀ PAZZESCA, SUPERIORE AL DECIMO GRADO DELLA SCALA RICHTER. SECONDO LE PRIME IMMAGINI AEREE IL TERRITORIO DELLA CALIFORNIA SI SAREBBE DISTACCATO DAL CONTINENTE..."

UN SISMA DELLA MEDESIMA INTENSITÀ STAREBBE LETTERALMENTE SPACCANDO IN DUE L'AMERICA MERIDIONALE, LUNGO LA CORDIGLIERA DELLE ANDE.

SIA FATTA LA VOLONTÀ DI FANTOMAX.

AL MOMENTO SI IGNORANO GLI EFFETTI DEL MOVIMENTO DELLE ACQUE OCEANICHE. IMPOSSIBILE UN BILANCIO DELLE VITTIME.

QUELLO CHE DICEVO DUE GIORNI FA. FANTOMAX STA RIDISEGNANDO LA CARTA GEOGRAFICA DEL MONDO.

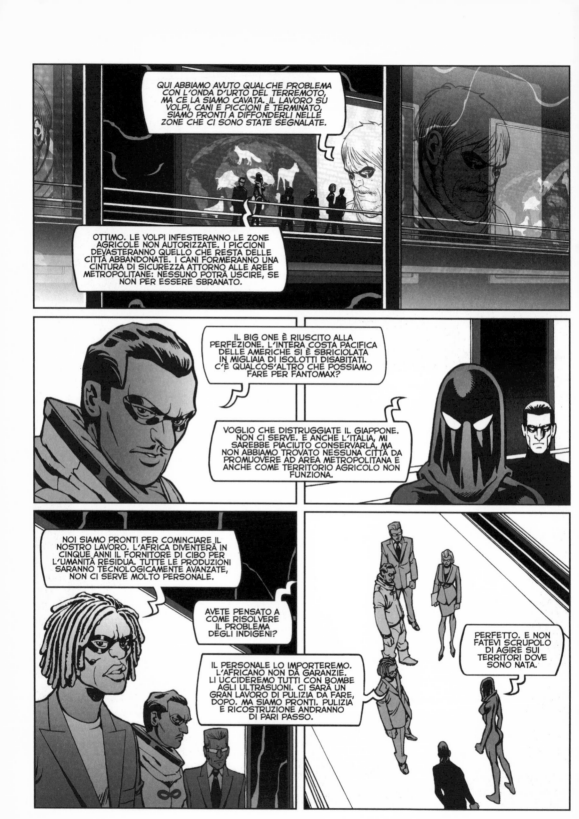

186

MI SEMBRA CHE TUTTO STIA ANDANDO ALLA PERFEZIONE.

FANTOMAX HA DATO UN'ACCELERAZIONE CHE CAMBIERÀ DEFINITIVAMENTE IL MONDO. E ADESSO, SE NON C'È ALTRO, VORREI RIMANERE DA SOLA. INTANTO DAI L'ORDINE DI ATTACCO AD ASTANA. MI RACCOMANDO, VOGLIO QUELL'UOMO, VIVO, QUI.

"È TUTTO PERFETTO, TUTTO PIANIFICATO, TUTTO IN FASE DI REALIZZAZIONE. MANCA SOLTANTO DI PRENDERE IL MIO NEMICO, AZZERANDO OGNI RESISTENZA."

"E MANCA UN PO' DI FELICITÀ PER ME. ESSERE PADRONI DEL MONDO NON BASTA, CI VUOLE DELL'ALTRO. NON CREDEVO MA È COSÌ."

EEEEEE

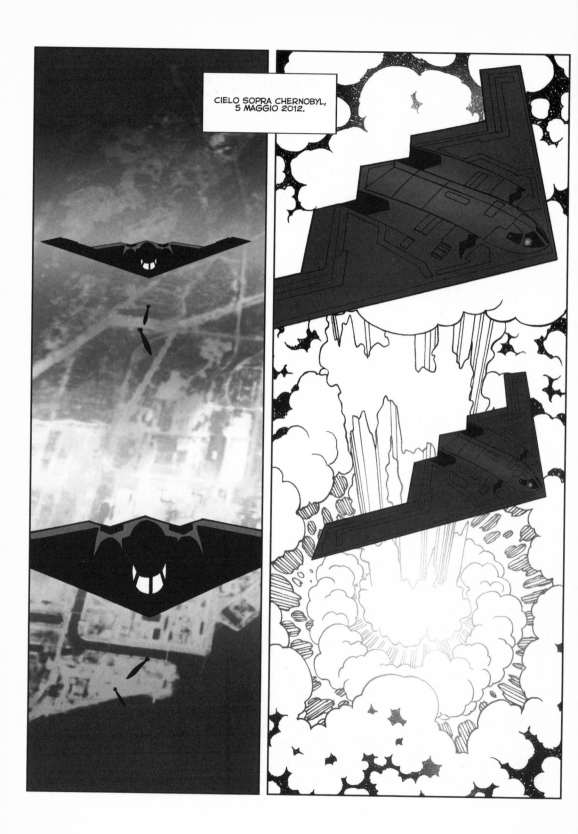

CIELO SOPRA CHERNOBYL,
5 MAGGIO 2012.

CI RESTA QUELLO SECONDARIO, NO?

HANNO CHIUSO L'INGRESSO PRINCIPALE.

SÌ, MA QUELLO FUNZIONA SOLO COME VIA DI FUGA PER NOI DUE, COME A PARIGI.

QUINDI È COME SE FOSSIMO SEPOLTI VIVI.

ABBIAMO TRE MESI DI AUTONOMIA. IN TRE MESI RIUSCIREMO A COSTRUIRE UNA NUOVA USCITA.

COMINCIATE I LAVORI. E TIENIMI COSTANTEMENTE INFORMATA SU QUELLO CHE SUCCEDE AD ASTANA.

"MI STO LAVANDO TROPPO. SÌ, DECISAMENTE MI STO LAVANDO TROPPO."

PARIGI,
11 GENNAIO 2010.

"NON DOVREI,
EPPURE SENTO
DI NON POTERNE
FARE A MENO."

"ANDIAMO A
VEDERE CHE
FACCIA HA
FANTOMAX."

"IN FONDO
SIAMO UNA
SPECIE DI
PARENTI."

"SPERO SOLO MI
LASCI IL TEMPO
PER DIRGLIELO."

EEEEEEE

OH, CAZZO.

197

QUANDO ARRIVA?

TRA UN PAIO D'ORE. IL CORRIDOIO B È MOLTO PIÙ LENTO. INTANTO È ARRIVATA LA CONFERMA CHE ASTANA È STATA CANCELLATA DALLA CARTA GEOGRAFICA.

UN PO' MI DISPIACE, MI SAREBBE PIACIUTO FARCI UN GIRO. C'ERANO DELLE BELLE ARCHITETTURE. PROVVEDI A INGAGGIARE I MIGLIORI ARCHITETTI DEL PIANETA. VOGLIO UN PROGETTO PER LA TASMANIA. L'ANTRO DOVRÀ ESSERE A CIELO APERTO. SONO STANCA DI VIVERE COME UN TOPO NELLE FOGNE.

SIA FATTA LA VOLONTÀ DI FANTOMAX.

BOLOGNA
(ITALIA)
16 MAGGIO 2012.

TOKYO
(GIAPPONE)
16 MAGGIO 2012.

NEW YORK
(USA)
16 MAGGIO 2012.

NASDAQ
919.27 -36,18
9,999,999,999
ASDA

NON SIAMO QUI PER PARLARE DEL MIO ASPETTO.

UNA COSA NON RIESCO A CAPIRE. COME MAI IL NIPOTE DI UNO DEI TRE BRILLANTI FONDATORI DI FANTOMAX SI È MESSO IN TESTA DI DISTRUGGERCI.

DAI L'IDEA DI ESSERE MOLTO BELLA ANCHE SOTTO QUELLA MASCHERA.

STAVO BENE, VIVEVO LA MIA NORMALE VITA DI MERDA. UN GIORNO SONO VENUTI A CERCARMI, MI HANNO PORTATO NELLA CASA DEL MIO BISNONNO. HO LETTO TUTTA LA STORIA DI FANTOMAX. POI MI HANNO PORTATO DA UN' ALTRA PARTE, MI HANNO FATTO UN TATUAGGIO CHE NON SI VEDE E DOPO SONO FINITO IN UN ALTRO POSTO, DOVE ALTRI DOCUMENTI MI INSEGNAVANO COME DISTRUGGERE FANTOMAX. DA QUEL MOMENTO LA MIA VITA È STATA UN INCUBO.

UN TATUAGGIO, DOVE?

QUI, SULLA SPALLA.

TOGLITI LA CAMICIA.

ALLORA SEI TU!

IO CHI?

201

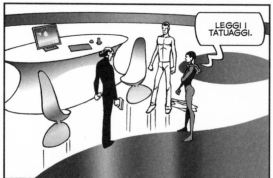

SIGNIFICA CHE LA STORIA DI FANTOMAX NON SARÀ PIÙ LA STESSA. FANTOMAX È SEMPRE STATO CONSAPEVOLE DELLA PROPRIA FORZA, MA ERA ALTRETTANTO CONSAPEVOLE CHE LA FORZA VA ESERCITATA E TENUTA IN ALLENAMENTO. PER QUESTO, DI TANTO IN TANTO, IL COMITATO REGGENTE SCEGLIEVA QUALCUNO CAPACE DI METTERNE A DURA PROVA IL GENIO E LA CAPACITÀ DI RESISTENZA.

"QUESTO QUALCUNO ERA SEMPRE SELEZIONATO TRA I DISCENDENTI DEI TRE FONDATORI. THOMAS COURTENEUVE SI È DIMOSTRATO IL PIÙ ABILE DI TUTTI. L'UNICO CAPACE DI DISTRUGGERE L'ANTRO PRINCIPALE E DI METTERE IN PERICOLO L'ESISTENZA DELL'ORGANIZZAZIONE."

"È STATA LA PRIMA VOLTA CHE FANTOMAX E IL SUO ANTAGONISTA SI SONO INCONTRATI E CHE FANTOMAX HA POTUTO FAR APPARIRE IL CODICE TATUATO. QUESTO SIGNIFICA LA POSSIBILITÀ DI UN NUOVO INIZIO E DI NUOVE REGOLE, CHE POTRAI DETTARE TU STESSA. O VOI STESSI, SE LO CREDETE."

"SONETTE BOSMAN, SEI STATA IL MIGLIOR FANTOMAX DI SEMPRE. E IO COME TUO CUSTODE SO CHE POTRAI ESSERLO ANCORA E SENZA CONDIZIONI TEMPORALI. IL TUO MALE REGNA SUL MONDO, E DA DOMANI I SUOI ABITANTI RESIDUI NON NE TEMERANNO ALCUN ALTRO."

GLI ARCHIVI SEGRETI DI
FANTOMAX

3

25. L'ALLUVIONE DI FIRENZE (1966)

Il controllo degli agenti atmosferici è la via più breve per soggiogare le popolazioni e i loro governanti. Patrick Sermas ha studiato a lungo la possibilità di interferire nella formazione delle nubi, provocando piogge intense e di durata oltre la media. I suoi allievi hanno proseguito i suoi studi e sono ormai in grado di scatenare nubifragi e tifoni con precisione millimetrica.

Il banco di prova delle loro scoperte avviene nel 1966, in Italia, fra la fine di ottobre e l'inizio di novembre. Piove e sembra non voler smettere mai. I danni alle coltivazioni sono incalcolabili, i disagi per coloro che abitano in città crescono ogni giorno che passa. La situazione peggiore si verifica in Toscana, dove le acque del fiume Arno aumentano minacciosamente di livello.

Nelle prime ore del 4 novembre 1966 la situazione precipita e l'Arno esonda in varie località della regione, compresa Firenze. Al di là dei disagi per la popolazione, che non preoccupano Fantomax in quanto non si è mai sentito la balia dell'umanità, quello che davvero colpisce è la fragilità del patrimonio culturale contenuto nella città toscana. Anche qui però bisogna intendersi: Fantomax non è certo tipo da sopravvalutare le testimonianze culturali, le considera né più né meno di quello che sono: strumenti di potere. La cultura muove capitali, interessi pubblici e privati, è fonte di guadagno, garanzia di forza.

Davanti alle immagini della città semidistrutta, Fantomax sogghigna e, contemporaneamente, manda alcuni suoi giovani adepti in avanscoperta. Questi giovani, che i media internazionali paradossalmente chiameranno "gli angeli del fango", fanno rapidamente proseliti e metteranno presto in salvo gli importanti tesori artistici di Firenze. Non è la prima volta che il Male indossa le vesti del bene per intorbidire le acque, ma forse quella della città toscana è stata la più spettacolare.

In quanto al controllo degli agenti atmosferici, il progetto di fare del deserto del Sahara una sterminata distesa di coltivazioni di cereali nasce proprio da quel potere, che non ha più segreti per Fantomax.

CONNESSIONI

1. *L'immagine di Fantomax, infangato fino ai capelli e quindi di per sé irriconoscibile, che mette in salvo un codice miniato del Duecento è disponibile sul server.*

2. *Gli studi di Patrick Sermas sulla formazione delle nubi sono conservati nell'antro di Isla Genovesa, Galapagos, Ecuador.*

26. LA MORTE DI PAPA LUCIANI (1978)

Fantomax nutriva grandi progetti sugli ultimi vent'anni del secondo millennio. La criminalità organizzata e le multinazionali erano pronte a sferrare l'attacco decisivo al mondo comunista. Le giustificazioni ideologiche c'erano tutte, ne mancava soltanto una religiosa e i giochi sarebbero stati fatti. Nessuno ovviamente pensava che sarebbe stato proprio Fantomax il maggiore beneficiario del crollo dell'Urss.

Quando, nel 1978, muore Paolo VI, papa scialbo e sin troppo legato all'espiazione dei propri peccati di gioventù, Fantomax punta tutto su un cardinale polacco, Karol Józef Wojtyla, un severo anticomunista, un uomo di polso perfettamente adatto al ruolo che avrebbe dovuto interpretare. Il conclave elegge invece Albino Luciani, un religioso che Fantomax non sa come manovrare, perché totalmente inadatto al ruolo, come lo stesso papa ammette con parole che sembrano scherzose e sono soltanto patetiche. La storia incalza, c'è bisogno di attori e non di caratteristi. Fantomax, che ha alcuni uomini all'interno del Vaticano, ordina l'uccisione di colui che si era fatto chiamare Giovanni Paolo I. L'assassinio avviene trentatré giorni dopo l'elezione, la notte del 28 settembre, mediante una iniezione che provoca l'infarto. È una morte sospetta, qualcuno chiede l'autopsia. Il collegio cardinalizio non può concederla perché non prevista dal protocollo ecclesiastico.

Fantomax si è liberato con estrema facilità di papa Luciani. Il successivo conclave procede senza sorprese e Karol Wojtyla è eletto papa. Da quel giorno cambia tutto, e anche il Vaticano si unisce alla campagna delle multinazionali e della criminalità organizzata per abbattere il potere comunista.

Fantomax vigila, l'occasione è storica e non può fallire. A fallire, sia pure per un soffio, invece è proprio un attentato alla vita di Wojtyla, il 13 maggio 1981. Da quel giorno, Fantomax doterà il papa di una propria scorta, potente e invisibile, che marcerà di pari passo alle conquiste del pontefice.

CONNESSIONI

1. *Le immagini di Fantomax, con barba e baffi finti, nascosto fra la folla plaudente in piazza San Pietro il 16 ottobre 1978, durante il saluto di papa Giovanni Paolo II, sono disponibili sul server.*

2. *Il busto di Karol Wojtyla è conservato, insieme ad altri tre, nella stanza dei Grandi Eletti del Male, nell'antro di Chernobyl (Ucraina).*

27. IL RAPIMENTO DI ALDO MORO (1978)

Pur detestando l'Italia e gli italiani, Fantomax è spesso chiamato a risolvere problemi interni a questa nazione. L'Italia è governata da un partito, la Democrazia cristiana, che è la somma di tutte le ipocrisie del popolo che la vota.

In una ventina d'anni di potere, la Dc ha trasformato l'Italia in un ginepraio di leggi e normative che favoriscono illegalità diffuse e disaffezione verso la cosa pubblica, due aspetti che non dispiacerebbero a Fantomax se gli italiani non li trasformassero in altrettanti esempi di menefreghismo. Il Male esige applicazione, è un concetto filosofico, non la partita doppia di un tornaconto personale.

Fantomax finanzia diversi gruppi terroristici, li arma, ne è il cervello segreto. Il rapimento di Aldo Moro, uomo di spicco della Democrazia cristiana, è voluto da Fantomax per evidenziare le contraddizioni interne al partito, provocandone il collasso. Ci riuscirebbe se la Dc non trovasse un alleato, insperato ma tutto sommato naturale, nel Partito comunista. Insieme, la Democrazia cristiana e il Partito comunista costituiscono un blocco formidabile che neppure le accorate e quotidiane lettere dal carcere di Aldo Moro riescono a scalfire. Moro accusa uno dopo l'altro quelli che ormai considera suoi ex amici di partito. Loro si difendono affermando che si tratta pur sempre di lettere di un uomo privato della propria libertà.

Se fosse un politico, Fantomax libererebbe il prigioniero e si godrebbe lo spettacolo degli accusati che diventano accusatori: Aldo Moro probabilmente morirebbe di crepacuore nel tempo di poche settimane. Per risparmiargli una fine così patetica, ordina che sia ammazzato con una scarica di pallottole.

Dopo l'uccisione di Aldo Moro, Fantomax si disinteressa dei fatti italiani, trattenendosi, a volte a fatica, dall'intervenire nelle numerose beghe politiche successive. Nel mondo futuro immaginato da Fantomax, l'Italia, semplicemente, non esisteva, se non come aggraziata forma territoriale. Questo almeno fino alla tragica conclusione che sappiamo.

CONNESSIONI

1. *Le immagini sonorizzate di un interrogatorio di Fantomax (incappucciato) ad Aldo Moro sono disponibili sul server.*

2. *. Le copie fotostatiche di tutte le lettere spedite da Aldo Moro sono conservate nell'antro di Trieste (Italia).*

28. IL WALKMAN (1979)

Gli anni Sessanta e gli anni Settanta sono stati decenni rivoltosi, bui, ai quali gli stessi protagonisti faticano a sopravvivere. Una generazione di sconfitti alla quale Fantomax infligge il supplizio finale introducendo in gran quantità droghe pesanti che fanno carneficina dei più deboli.

Non tutto è andato perduto, i migliori esempi di quella generazione stanno per diventare classe dirigente. Governeranno il mondo con lucidità e cinismo, le doti che hanno maggiormente appreso durante gli anni della contestazione. Ma non basta. Fantomax sa che il buio degli anni appena trascorsi va illuminato con luci sfavillanti. Sa che soprattutto i giovani devono sentirsi felici: utili, idioti e felici.

Gli ingegneri di Fantomax hanno studiato uno strumento di consumo che passano di nascosto alle più forti industrie elettroniche del mondo: un riproduttore di musica che si può portare ovunque. Lo spettacolo di migliaia di giovani che ascoltano le loro canzoni preferite disinteressandosi di tutto quello che avviene intorno è un'immagine che riscalda il cuore di Fantomax.

Gli ingegneri e i sociologi non hanno mai lavorato tanto come in questo periodo, sfornano novità una dopo l'altra: reti televisive private commerciali, format televisivi destinati a essere trasmessi in tutto il mondo, firme di abbigliamento rivolte al consumo planetario, cibi e bevande che si diffondono a macchia d'olio, multisale cinematografiche che modificano una volta per tutte il consumo dei film.

Il concetto che muove Fantomax è che il mondo deve diventare tutto uguale, che nelle strade di Parigi, New York, Roma, Berlino, Mosca, Tokyo e Rio de Janeiro si debbano trovare gli stessi negozi, mangiare lo stesso cibo, pensare le stesse cose. È una rivoluzione che Fantomax persegue con accanimento quotidiano. Le multinazionali, la criminalità organizzata e il Vaticano sono i suoi bracci armati. Manca solo la conquista dei territori assoggettati ai regimi comunisti e la vittoria potrà dirsi ottenuta. Non la vittoria finale, ma il passo necessario per realizzarla.

CONNESSIONI

1. *Gli studi che avrebbero portato alla creazione del format televisivo "The Big Brother" sono disponibili sul server.*

2. *Il prototipo di quello che sarebbe diventato il Walkman è conservato nell'antro di Chernobyl.*

29. IL DISASTRO DI CHERNOBYL (1986)

Fantomax sente la vittoria a portata di mano. I regimi comunisti sono sempre più deboli, le popolazioni affamate dalle novità sfavillanti che l'Occidente produce giorno dopo giorno. L'Unione Sovietica è grigia, il resto del mondo a colori, e che colori. Per Fantomax è il momento giusto per infliggere un duro colpo alla credibilità dell'Urss, e allo stesso tempo per mettere in sicurezza il proprio futuro.

La centrale nucleare di Chernobyl era stata costruita nei primi anni Settanta, completamente sotto il controllo degli uomini di Fantomax, che si erano infiltrati in ogni fase dei lavori. Sotto la centrale era stato realizzato un antro delle stesse dimensioni di quello di Parigi, l'antro era entrato in funzione il primo maggio 1975, mentre ai piani superiori i primi reattori nucleari già producevano l'energia per la quale erano stati predisposti. Alla festa di inaugurazione avevano partecipato lo stesso Fantomax e il fisico italiano Ettore Majorana, uno dei migliori scienziati devoti alla causa del Male, il cui lavoro stava anche alla base della progettazione della centrale di Chernobyl. Era stata l'ultima apparizione pubblica di Majorana, che si era spento pochi giorni dopo, divorato da un male incurabile.

Per Fantomax, nel 1986, è venuto il momento di provocare un guasto alla centrale. Il mondo tremerà di fronte alla debolezza degli impianti nucleari sovietici, e pretenderà maggiore sicurezza. Allo stesso tempo, Fantomax potrà disporre di un antro sicuro, in un luogo che nessuno vorrà più frequentare.

Le previsioni di Fantomax si avverano. L'Unione Sovietica si indebolisce ulteriormente e si dimostra pronta ad accettare le riforme proposte dal giovane Michail Gorbaciov, eletto nel 1990 e dimissionato un anno dopo dal feroce Boris Eltsin, che decreta la fine del comunismo.

La storia è ormai cambiata e nessuno può farla tornare indietro. Nell'antro di Chernobyl si lavora a stretto contatto con quello di Parigi. La conquista del mondo si avvicina. Ormai è questione di un paio di decenni.

CONNESSIONI

1. *La fotografia che ritrae la vigorosa stretta di mano fra Fantomax ed Ettore Majorana è disponibile sul server.*

2. *Il busto di Ettore Majorana è conservato, insieme ad altri tre, nella stanza dei Grandi Eletti del Male, nell'antro di Chernobyl (Ucraina).*

30. ABBATTIMENTO DEL MURO DI BERLINO (1989)

Per molti, il 9 novembre 1989 è il giorno in cui il mondo diventa finalmente libero. Folle di giovani gaudenti cantano, danzano e brindano a un futuro di pace e libertà. È un'esplosione di gioia incontenibile che sembra non risparmiare nessuno. Nessuno tranne Fantomax, che sogghigna di fronte a una esposizione di così impunita imbecillità.

La caduta del muro di Berlino è il simbolo della vittoria del Male, delle armate composte da multinazionali, criminalità organizzata e Vaticano, che Fantomax ha saputo coordinare in vista del proprio personale trionfo.

Il blocco sovietico è finito. Nel tempo di pochi anni, i suoi abitanti si troveranno a subire poteri ben più coercitivi e spietati rispetto a quelli sbandierati dalle icone sciupate di Lenin e di Stalin. Nessuna legge varrà più, se non quella del più forte. Milioni di ragazze diventeranno il sogno realizzato per i vizi degli occidentali. Milioni di uomini e donne dovranno abbandonare le loro case per andare a servire come badanti in quelle dei ricchi occidentali. Per milioni di ragazzi non resterà che intraprendere la strada del crimine, carne da macello che le mafie utilizzeranno come vuoti a perdere. Quello che era un blocco solido, sia pure tenuto insieme dalle armi e dalla paura, si sgretola di fronte alla tanto agognata parola libertà, la parola più vuota di significato che il dizionario conosca.

Fantomax investe molto nei Paesi del blocco ex comunista: nuovi antri, un paio di società che si accaparrano i migliori affari al momento della cessione ai privati dei servizi un tempo centralizzati.

Senza la caduta del muro di Berlino Fantomax non avrebbe potuto aspirare alla conquista del mondo. Per questo non ha lesinato forze e denaro perché quel muro di cemento cattivo crollasse sotto il finto peso della libertà.

CONNESSIONI

1. La registrazione delle grida di gioia di Fantomax alla notizia della caduta del muro di Berlino è disponibile sul server.

2. Un frammento del muro di Berlino picconato da Fantomax in persona è conservato nell'antro di Chernobyl (Ucraina).

31. MUCCA PAZZA, SARS E ALTRE EPIDEMIE (1996)

La composizione del corpo umano è fatta di elementi chimici. E la chimica è la chiave per aggredire il corpo umano, farlo ammalare, così come guarirlo. I chimici di Fantomax sono al lavoro quotidianamente per studiare nuove malattie che i farmaci in commercio siano incapaci di debellare. È una sfida alterna, che conosce il trionfo come la disfatta.

Il prione portatore dell'encefalopatia spongiforme bovina è stato innestato dai chimici di Fantomax nel 1982 e scoperto dalla comunità scientifica internazionale solo tre anni dopo. Variato nella malattia di Creutzfeldt-Jakob, nel 1996 quello che volgarmente è definito "morbo della mucca pazza" provoca la morte umana, una decina di giovani inglesi.

La diffusione della malattia di Creutzfeldt-Jakob è stata capillare in tutto il mondo, ma ha fatto troppe poche vittime perché a Fantomax interessasse continuare gli esperimenti.

Con la Sars (Sindrome acuta respiratoria severa) le cose sono andate un po' meglio. Si trattava di una forma atipica di polmonite, con una mortalità piuttosto elevata (intorno al dieci per cento) ma una diffusione non difficile da tenere sotto controllo. Fantomax prova allora rinforzando alcuni ceppi influenzali. Nel mondo si comincia a temere prima la cosiddetta "aviaria", poi la "suina": molti malati, pochi morti e grandi guadagni per le società farmaceutiche.

Fantomax inverte la prospettiva, una dopo l'altra s'impossessa di piccole società farmaceutiche che studiano al contempo malattia e guarigione. Quando i chimici riescono a sintetizzare il virus HHF (così chiamato dall'esclamazione del primo che lo scoprì "Hey, Habemus Fantomax") la prospettiva cambia di colpo e Fantomax è costretto ad acquistare una delle più grandi società farmaceutiche del mondo per produrre vaccini nella quantità necessaria. Della filiera malattia/guarigione ora intasca anche i grandi utili, denaro che è utilizzato per ampliare le ricerche.

Dopo l'HHF, i chimici di Fantomax hanno isolato due virus ancora più pericolosi. La loro liberazione potrebbe significare la fine dell'umanità residua.

CONNESSIONI

1. *La registrazione delle parole del chimico Akira Murakami ("Hey, Habemus Fantomax") è disponibile sul server.*

2. *La coltura del prione che diede vita alla malattia di Creutzfeldt-Jakob è conservata nell'antro di Isla Genovesa, Galapagos, Ecuador.*

32. LA MORTE DI LADY DIANA (1997)

Per paradossale che possa sembrare, Fantomax teme il successo planetario di questa donna venuta dal nulla. Lady Diana Spencer rappresenta tutto quanto vi è di più insopportabile nella natura umana: la doppiezza, la bontà esibita, la simpatia innata, il sorriso perennemente sulle labbra, a significare che la vita trova sempre qualche buona ragione per essere vissuta.

Fantomax la segue da quando si è fidanzata con il principe Carlo d'Inghilterra. Il 29 luglio 1981, un mercoledì, prende seriamente in considerazione l'idea di bombardare la cattedrale di Saint Paul, durante la celebrazione del loro matrimonio. Non lo fa perché Fantomax sa tenere a freno le proprie antipatie personali e una strage commessa quel giorno non gli sarebbe servita a niente.

La situazione precipita quando Carlo e Diana si separano.

È come se il mondo intero si stringesse intorno a quella figura biondiccia e zuccherosa. Lei approfitta a man bassa della popolarità. Si fa invitare ovunque, dispensa parole come un filosofo, denaro come un filantropo. Si fa bella con i soldi che puntualmente le arrivano dalla casa reale inglese. Intanto il suo comportamento privato non è certo quello di una donna abbandonata e inconsolabile. Fantomax raccoglie filmati compromettenti e immagini che non lascerebbero dubbi. Intanto però i media internazionali diffondono le solite immagini sdolcinate. La situazione diventa intollerabile quando Lady Diana si fa fotografare mentre ispeziona un campo minato nella ex Jugoslavia. Quel giorno Fantomax decide che Lady Diana deve morire.

L'omicidio di Lady Diana è un capolavoro di Fantomax, prima nell'organizzare al cronometro l'incidente dell'auto sulla quale viaggia e poi nel far accorrere un'ambulanza piena di suoi uomini, che la finiscono durante il viaggio verso il più vicino ospedale.

Il giorno del funerale di Lady Diana, Fantomax non vuole vedere nessuno. Ritirato nei suoi appartamenti, si rivede per l'ennesima volta *C'era una volta in America* di Sergio Leone e dopo si addormenta profondamente.

CONNESSIONI

1. *Le immagini sulle "cure" prestate a Lady Diana sull'ambulanza sono disponibili sul server.*

2. *Il dossier relativo ai momenti compromettenti della vita di Lady Diana è conservato nell'antro di Amphoe Palian (Thailandia).*

33. ATTACCO ALL'AMERICA (2001)

L'11 settembre del 2001 è un giorno di gloria per Fantomax. L'attacco alle torri gemelle e il finto attacco al Pentagono vanno iscritti alla potenza infinita del suo genio malefico.

Nel corso degli anni, Fantomax ha infiltrato suoi uomini nelle organizzazioni terroristiche di tutto il mondo, così come nei governi degli Stati e nei loro servizi di sicurezza. Nulla sfugge ai sensori del genio del Male. E tutto quello che avviene è subordinato al suo beneplacito, quando non direttamente ispirato dalla sua strategia.

Fantomax avverte la singolare coincidenza di interessi fra il governo degli Stati Uniti e Al Qaeda, l'organizzazione terrorista islamica capitanata da Osama Bin Laden. Non gli resta che accelerare i tempi e indirizzare entrambi verso la progettazione di un'azione che farà epoca. Gli ingegneri di Fantomax simulano ogni mossa fino ad arrivare alla perfezione, che sarà suggerita ad entrambi i contendenti. Ognuno ha quello che vuole, Fantomax di più.

L'attacco agli Stati Uniti, oltre a essere una prova generale delle proprie capacità tattiche, risponde all'intento strategico di stringere la popolazione mondiale in una cappa di paura. Dopo l'11 settembre niente sarà più come prima. I sistemi di sicurezza sono potenziati in qualsiasi settore della vita pubblica, influendo non poco sulle libertà personali e sugli stessi desideri individuali. Il mondo diventa pian piano una prova generale della convivenza auspicata da Fantomax. E niente sa dare esempio più cattivo del Male quando si prefigge di mostrarsi a volto scoperto.

Il cuore di Osama Bin Laden non regge all'emozione del successo. Il 24 ottobre 2001 smette di battere. Avvertito della progressiva malattia del reggente di Al Qaeda, Fantomax predispone la sostituzione di Bin Laden con un suo uomo, che gli assomiglia come una goccia d'acqua. Da allora in poi, tutte le azioni firmate da Al Qaeda saranno in realtà esiti della strategia impostata da Fantomax.

CONNESSIONI

1. *La simulazione computerizzata degli attacchi dell'11 settembre è disponibile sul server.*

2. *Il busto di Osama Bin Laden è conservato, insieme ad altri tre, nella stanza dei Grandi Eletti del Male, nell'antro di Chernobyl (Ucraina).*

34. L'INTRODUZIONE DELL'EURO (2002)

Fantomax è per la semplificazione. I viventi hanno diritti e doveri in egual quantità, e la bilancia non potrà mai pendere sia dall'una che dall'altra parte.

Ridisegnare il mondo è un'impresa da far tremare i polsi, ma nessuno al quale tremassero i polsi potrebbe mai diventare Fantomax.

Il mondo si è sviluppato per vicinanza, i nuclei di umani si sono naturalmente radunati nelle terre in cui sono nati. Questo principio, all'inizio del tutto logico, si è evoluto e distorto portando alla luce un groviglio di contraddizioni che ha cominciato a brulicare fino a esplodere.

L'appartenenza e la condivisione etnica sono mali che Fantomax si impone di estirpare. Per questo, l'era di Fantomax sarà ricordata per un grande movimento migratorio, di individui più che di popoli: a ognuno è concesso di andare ad abitare nel preferito fra i venticinque conglomerati metropolitani messi a disposizione per l'umanità residua.

L'idea è nata dal gruppo di economisti quotidianamente al lavoro nell'antro di Chernobyl, allora il secondo per importanza dopo Parigi. L'Europa era composta da un gruppo di nazioni vecchie e prepotenti, viziate e mal governate. Di contro, nuove nazioni giovani combattevano a suon di sassaiole simboliche contro privilegi sanciti da nessun trattato. L'Euro, la nuova moneta che avrebbe messo in soffitta tutte le divise nazionali, nasce come idea di Fantomax per preservare le nazioni giovani dalle anacronistiche prerogative di quelle anziane.

L'introduzione dell'Euro è avvenuta il primo gennaio del 2002. Secondo il piano di Fantomax terminerà il primo gennaio 2015, quando tutte le nazioni residue del mondo adotteranno la stessa moneta. Finiranno in questo modo le speculazioni e le rendite finanziarie basate sull'altalena dei tassi di cambio. Finirà, in definitiva, il concetto stesso di nazione, sostituito da quello più pertinente di umanità.

Per festeggiare l'avvenimento, i tipografi hanno già pronta la banconota da mille euro, che porterà impressa la sagoma di Fantomax.

CONNESSIONI

1. *Il fac-simile della banconota da mille euro è disponibile sul server.*

2. *La collezione completa di tutte le emissioni di monete e banconote in euro è conservata in ogni antro del pianeta.*

35. TSUNAMI (28 DICEMBRE 2004)

La perfezione esiste come concetto, ma è raramente riproducibile nel mondo dei fatti. Per questo il 28 dicembre 2004 è una data destinata a entrare nella storia. Per la prima volta un maremoto scatenato da Fantomax si è comportato esattamente come le simulazioni avevano previsto, senza neppure quel minimo scarto che in casi del genere sarebbe stato tollerato.

Il grande maremoto è preparato tre giorni prima da un sisma che colpisce una zona disabitata della Nuova Zelanda, il cui epicentro viene fissato all'estremità della grande placca Indoaustraliana. È un terremoto di scala 8,1 Richter, che non preoccupa granché, soprattutto perché non fa vittime. I problemi nascono quando Fantomax attacca l'altra estremità della placca Indoaustraliana, ancora soggetta alle vibrazioni del primo sisma. La percussione a onde sonore è lanciata via satellite, l'obiettivo si trova trenta chilometri sotto il fondo dell'Oceano Indiano, al largo della costa nord-occidentale di Sumatra (Indonesia). Il terremoto è avvertito da buona parte dei sismografi terrestri, subito comincia il balletto dei numeri: chi parla di 6,8 gradi della scala Richter, chi corregge il dato a 8,1, chi a 8,5, chi stabilisce la misura definitiva a 8,9. Pochi si accorgono che si tratta di un sisma del tutto eccezionale perché va a colpire milleduecento chilometri di faglia, con la placca Indiana che s'incunea sotto quella Birmana e provoca un innalzamento del fondo oceanico, dalla parte della placca Birmana, di ben dieci metri: le condizioni ideali per lo scatenarsi di onde anomale che viaggiano a circa ottocento chilometri all'ora e si abbattono sulle coste di buona parte dell'Oceano Indiano, colpendo e devastando le regioni costiere di Indonesia, Sri Lanka, India, Thailandia, Birmania, Bangladesh, Maldive e raggiungendo le coste della Somalia e del Kenya, a oltre quattromilacinquecento chilometri dall'epicentro.

Uno tsunami così gigantesco non si era mai visto, ed era proprio la sua generazione lo scopo dell'esperimento di Fantomax.

Fantomax vuole ridurre la popolazione del pianeta e la sua superficie abitabile. Immergere la Terra sotto le acque è il suo obiettivo, che conta di ottenere innalzando i fondi oceanici, producendo temporali di portata sempre più corposa e sciogliendo gran parte dei ghiacci polari. Quando la sua volontà sarà fatta, i cartografi dovranno disegnare le nuove mappe del pianeta, e quello sarà un giorno di grande esultanza.

CONNESSIONI

1. *La simulazione computerizzata del maremoto del 28 dicembre 2004 è disponibile sul server.*

2. *Il filmato che documenta il brindisi dei sismologi di Parigi insieme a Fantomax è conservato nell'antro di Chernobyl (Ucraina).*

36. IL DISCORSO DI FANTOMAX AL MONDO (2012)

"Sono Fantomax e sono il padrone del mondo.

Negli ultimi anni il pianeta Terra ha subito una serie di disastri epocali: terremoti, crisi finanziarie, epidemie, comparsa di animali geneticamente modificati nella stazza e nelle attitudini. Dietro ognuna di queste maledizioni ci sono Fantomax e la sua potentissima organizzazione. Dietro ognuno di questi disastri c'è l'idea di ridefinire il concetto stesso di vita civile, e degli spazi entro i quali questa vita potrà svolgersi. Per qualche decennio le campagne, le montagne e vaste pianure saranno rese inabitabili, e non saranno più fonte di alcun Male per ognuno di voi, se naturalmente ubbidirete alle mie disposizioni. Si porrà freno anche alla dispersione di troppe città, piccole medie o grandi che siano. Abiterete in uno dei venticinque conglomerati metropolitani che saranno messi a vostra disposizione. Saranno città modello, dove non vi mancherà niente e non avrete paura a uscire di casa in qualsiasi ora del giorno e della notte. Avrete scuole, ospedali, palestre, centri commerciali, spazi per il divertimento e per la cultura. La vita vi costerà di meno e vi sarà concesso molto tempo libero. Il cervello dell'uomo ha lavorato troppo nell'ultimo secolo e mezzo. Avesse continuato così sarebbe imploso entro pochi decenni. Il cervello ha bisogno di riposare, di ritrovare serenità, di uscire dal vicolo cieco della competizione, dall'aggressione delle paure che una dopo l'altra lo martellavano senza pietà. Vi hanno insegnato a temere troppi mali ingannevoli. Per vostra fortuna, uno era davvero tale, ma si trattava di un Male che mirava alla liberazione del vostro spirito: qui e ora e non in un'altra vita, come comodamente promettono le religioni mendaci. Ciò che vi offre Fantomax è riposare la mente. Lavorare, mangiare, bere, divertirvi, dormire, fare l'amore. In cambio vi chiede di aderire al suo progetto con entusiasmo, senza titubanze e soprattutto senza dare corpo a quei germi che troppe volte nella storia dell'umanità hanno saputo creare solo terrore, disperazione, miseria. Avrete a vostra disposizione la nuova forza di polizia che Fantomax ha creato apposta per voi. Rivolgetevi agli agenti che troverete in ogni strada: saranno gentili e vi daranno tutte le informazioni di cui potreste avere bisogno. Non aggrediteli, però: risponderebbero con una spietatezza che vi sorprenderebbe.

Sono Fantomax e sono il padrone del mondo.

Sono l'unico Male di cui dovrete avere paura, non ce ne saranno altri e non dovrete temerli".

CONNESSIONI

1. *Il filmato del discorso di Fantomax al mondo è disponibile sul server.*

2. *Il filmato originale del discorso, comprese le successive fasi di montaggio, è custodito nell'antro di Chernobyl (Ucraina).*